Contes
d'une Grand-mère

George SAND

Contes d'une Grand-mère

Deuxième série

Texte établi, présenté et annoté
par Philippe BERTHIER
avec choix de variantes

Dessins de Christiane SAND
et Roland FIGUIÈRE

Collection ''Les Œuvres de George Sand''

Sigles utilisés

Notes et variantes :

1   Appel de notes

a   Appel de variantes

(Notes et variantes
en fin d'ouvrage)

Abréviations :

ms	manuscrit
RDM	*Revue des Deux Mondes*
RI	*Revue Indépendante*
PGS	*Présence de George Sand*
Pl	*Bibliothèque de la Pléiade*
Corr.	*Correspondance* de G. Sand, éditée par G. Lubin (Garnier)
BN	Bibliothèque Nationale

Les Éditions de l'Aurore

4, boulevard des Alpes / B.P. 19 / 38240 Meylan / Tél. (76) 90.59.36

Présentation

Nous n'avons pas l'intention de reproduire ici les généralités que nous avons données dans la présentation de notre édition de la première série des *Contes d'une grand-mère* (Editions de l'Aurore, 1982). Nous nous permettons donc d'y renvoyer le lecteur.

Bornons-nous à rappeler que ces contes ont été rédigés par George Sand pour ses deux petites-filles (les enfants de son fils Maurice et de sa belle-fille Lina), Aurore — dite Lolo — née en 1866, et Gabrielle — dite Titite — née en 1868.

Les huit contes du deuxième recueil appartiennent à deux veines nettement distinctes. On peut regrouper *Le Chêne parlant* et *L'Orgue du Titan,* qui se rattachent plutôt aux textes de la première série et proposent des itinéraires de maturation intérieure, de découverte et de conquête du Moi. *Ce que disent les fleurs, Le Marteau rouge, La Fée Poussière, Le Gnome des huîtres, La Fée aux gros yeux* constituent un ensemble très cohérent et développent une réflexion qu'on pourrait presque qualifier de systématique sur le destin de la matière et les formes de la vie. Il faut mettre à part *Le Chien et la fleur sacrée,* chronologiquement le plus tardif, qui offre des entrevisions métaphysiques synthétisant et dépassant les perspectives antérieures.

Bien que leur nom apparaisse fallacieusement par deux fois dans leurs titres, ces contes n'ont rien à voir avec les fées, ou, plus subtilement, les utilisent de manière purement rhétorique pour mieux les vider de leur substance « féérique ». On peut admettre que, les fillettes ayant grandi, elles n'y croyaient plus guère ; mais, plus profondément, George Sand tenait à illustrer l'axiome qu'elle avait émis dès 1864 dans *Laura* : « La nature travaille mieux que les fées », c'est la Nature qui est la Fée suprême et absolue. Dans ces conditions, plus de querelle ni d'incompatibilité entre « réalité » et « merveilleux » : le miracle est partout, pour qui sait observer les choses et les êtres tels qu'ils sont. La Nature apparaît comme une fabrique enchantée, qui ne cesse de produire et de transmuter, *ad majorem vitae gloriam*. Philosophie « naturaliste » et vitaliste, professée déjà en 1863 par *Ce que dit le ruisseau* (texte qui annonce de très près plusieurs de nos contes) : « C'est que rien n'est mort, c'est que tout renferme la vie formulée ou expectante, c'est que tout l'exprime, la rumeur comme le silence, l'activité comme le sommeil, le chant comme la parole, et le simple bruissement de l'onde comme la parole du sage et comme le chant du rossignol ». Tout est plongé dans un seul et même flux d'existence, tout est langage (l'insistance est significative : le chêne parle, les fleurs ont quelque chose à dire...). On songe à Victor Hugo :

« Tout parle ; l'air qui passe et l'alcyon qui vogue,
Le brin d'herbe, la fleur, le germe, l'élément. [...]
Tout parle. Et maintenant, homme, sais-tu pourquoi
Tout parle ? Ecoute bien. C'est que vents, ondes,
[flammes],
Arbres, roseaux, rochers, tout vit ! » [1].

George Sand se propose essentiellement de donner voix à qui semble ne pas en avoir, de faire entendre la polyphonie de la vie polymorphe. Leçon d'émerveillement ici et maintenant : pourquoi inventer des fables, alors que la physique, la chimie, la biologie, la géologie, la botanique, etc. offrent des réservoirs inépuisables de fabuleux ? Ou alors, que la fable ne soit qu'un détour poétique, dont personne n'est dupe, pour ramener au réel, et non en détourner. La rêverie, loin de s'en trouver mutilée, se déploiera à l'aise dans le grand métabolisme du vivant : « L'esprit de métamorphose, cette circulation incessante à travers les formes, les matières et les règnes, témoigne dans les contes d'une autre vie de l'inconscient : vie sauvage, orpheline et joyeuse »[2]. Leçon de sérénité et d'optimisme aussi : la Vie est une immense artiste, à l'imagination sans limites, à la générosité infinie, puisqu'elle nie la Mort qu'elle requiert pour se perpétuer. On peut, on doit s'abandonner avec confiance à sa Loi. Il est beau qu'à la veille de « rentrer dans le jeu », George Sand lègue à ses petites-filles ce visage au paisible sourire. Une Aurore septuagénaire s'éteint ; une autre, de 9 ans, se lève et prend le relais, reçoit le *mot de passe*... Mourir, c'est retourner doucement au sein fécond, divin, de l'Etre universel. Pourquoi craindre ?

Le Chêne parlant

Le manuscrit en est inaccessible. D'après l'Agenda de George Sand (Bibliothèque nationale, NAF 23.837), ce conte a été commencé le 7 août 1875 et terminé le 13, corrigé le 19 et lu au public familial de Nohant le 29. *La Revue des deux Mondes* le publia dans sa livraison du 15 octobre suivant.

Le Chêne parlant se rapproche par plus d'un aspect des *Ailes de Courage* (*Contes d'une grand-mère*, première série) : Emmi est frère de Clopinet, et c'est bien le même « roman de formation » dont nous avons ici une version terrienne et campagnarde, après la version aérienne et marine. Comme tout héros de conte qui se respecte, Emmi est disgracié, ignorant, orphelin, malheureux : son itinéraire le conduira du manque à la plénitude, de l'aliénation à la pleine et souveraine possession de soi. Une histoire de rouvre ne saurait être que roborative.

En butte à l'agressivité porcine, obtuse et diabolique, l'enfant s'enfuit dans les bois, mais c'est pour se retrouver ; B. Bettelheim a montré que se perdre dans la forêt exprime le besoin de se découvrir. La brutale attaque extérieure enclenche en réaction le processus de réappropriation intime, qui trouve son instrument, et presque son talisman, dans la sagesse du vieux chêne. L'arbre élève un symbole simple et puissant de l'épanouissement harmonieusement vertical de l'Etre : entre terre et ciel, des obscurs ferments puisés par les racines jusqu'au déploiement des branches dans l'azur, la sève filtre et monte, la vie croît et se tend, irriguée de nuit épaisse pour s'accomplir en légèreté lumineuse. Rien ne peut mieux aider Emmi à devenir qui il est, à advenir à soi, que l'exemple tutélaire du patriarche végétal, vénérable et sacré, dont le feuillage bruissant, obéissant aux caprices du vent (explication pauvre et positiviste, bonne pour la Catiche), délivre à qui sait l'entendre et surtout l'écouter un langage dodonéen, oraculaire. Sur lui, autour de lui, en lui — au cœur de sa substance, de sa leçon — se développe une robinsonnade champêtre qui n'a rien d'un jeu. Le problème de la survie se pose d'abord en termes évidemment tout matériels. Emmi doit faire l'apprentissage de la vie « sauvage », et, pour cela, retrouver les gestes immémoriaux, archétypiques, premiers (allumer du feu, ramasser des châtaignes, puisqu'aussi bien chaque individu recommence l'humanité. Peu à peu, il déploie son ingéniosité pour tirer parti des innombrables ressources de la nature, en faire un lieu possible, un espace habitable. Naturellement (c'est le cas de le dire), cette démarche implique une certaine animalisation du petit homme : écureuil, chouette, singe, chevreau, Emmi est tout cela à la fois, il entre dans la famille des Mowgli et des Tarzan, avec tous ceux qui ont su quitter les enclos humains, trop humains, pour plonger dans les périls et les merveilles d'un monde inhumain, c'est-à-dire libre et vierge.

Mais il ne s'agit pas simplement de conquérir l'autarcie physique. La question est morale, sociale, et ne tarde pas à apparaître comme telle à l'enfant-dryade, devant la Catiche qui lui propose, depuis sa rupture avec le monde, le premier visage, ambigu et pervers, du contrat avec autrui. Celui-ci est clairement ressenti comme une finalité naturelle, une nécessité vitale, indiscutable ; mais il suppose l'abandon, ou du moins l'éloignement, du milieu de solitude nourricière dans lequel Emmi avait établi sa demeure. Choix douloureux, qui se résout de la manière la plus mauvaise — mais pédagogiquement utile — par l'imposture de la Catiche, fausse idiote et fausse mère, qui prétend substituer à l'école de vérité et de pureté qu'ont été les bois pour Emmi un anti-idéal de mensonge éhonté et de cynisme. La petite note apparemment voltairienne sur les miracles de la fontaine sert moins à stigmatiser la crédulité de ceux qui y ajoutent foi que la révoltante audace de ceux qui souillent à leur profit la grande innocence de la nature. La « mère » vendant son « fils » à des saltimbanques révèle le véritable envers du décor : le capharnaüm de la foire, avec son clinquant, son tohu-bohu et ses trafics douteux, est bien le contraire exact de la forêt ; une certaine « civilisation », une société à la Dickens avoue là son péché.

Il faudra beaucoup de temps à Emmi pour s'en laver, en s'immergeant à nouveau dans les vastes ondes qui émanent de la nuit, le jour, à toute saison, du silence si peuplé de rumeurs, si riche de messages, que tisse la forêt. George Sand rend admirablement, sans emphase, en petites touches d'un lyrisme contenu, la respiration de cet immense mystère. On songe à Clopinet en vigie sur sa falaise : « En ses solitudes heureuses, l'enfant rêveur connaît la rêverie cosmique, celle qui nous unit au monde »[3]. Emmi a été « adopté » par Vincent ; sa tante elle aussi s'intéresse à lui (c'est un peu tard) ; mais nous avons compris que le vieux chêne, c'est définitivement pour lui ses *père et mère*, ce en quoi il s'origine spirituellement, ce qui fonde et oriente son être. Vivant à la fois dans les bois (c'est-à-dire dans la nécessaire liberté du face-à-face avec soi) et avec les autres (c'est-à-dire dans le non moins nécessaire compagnonnage du travail), tout autant solidaire que solitaire, Emmi a accédé à l'équilibre, à la maturité. Le conte a dit l'essentiel. Il peut dès lors s'accélérer, jusqu'à la bousculade de la conclusion. Prospère et comblé, Emmi à la fin de sa vie est devenu comme son arbre : chenu, chênu. Son dernier geste (inscrire son nom dans le corps même de son totem) confirme l'identification. Lui qui ne savait rien, n'était rien, il a rejoint les profondes certitudes, la majestueuse connaissance de celui que Giraudoux appellera « le frère non mobile de l'homme ».

Le Chien et la fleur sacrée

Le manuscrit de ces deux contes réunis en un seul est conservé à la Bibliothèque historique de la Ville de Paris (fonds Sand, cote 06). C'est chronologiquement le dernier de la série. L'agenda de 1875 montre que le premier récit a été terminé le 16 août : « Je lis à Lolo son chien Fadet, conte commandé par elle que j'ai fini hier soir ». Dès le 19, George Sand commence à faire des recherches pour *L'Eléphant*. Ces travaux préparatoires durent jusqu'au 29 août : « J'achève mes notes pour *L'Eléphant*, il faut en finir[...] je lirais vingt volumes pour écrire trois pages ». Le 4 septembre : « J'achève mon éléphant blanc. Je le lis ce soir à Lina, Plauchut, Lolo. Titite veut rester à la lecture. Je pense qu'elle va s'endormir car l'introduction la fait beaucoup bâiller. Mais dès que le récit commence elle écoute avec une attention qui m'étonne. La chose finie, elle me dit bonsoir en disant que c'est bien joli et puis va tomber dans les bras de sa mère en sanglotant. Qu'y a-t-il ? J'en suis toute inquiète. Est-elle malade ? S'est-elle fait mal ? Non, c'est la mort de l'éléphant qui brise son petit cœur et sa mère pleure aussi. Quel succès ! Il fallait bien cela pour me payer de ma peine, car les recherches qu'il m'a fallu et l'appropriation du sujet fantastique à la réalité scrupuleuse m'ont beaucoup fatiguée. Enfin c'est fini ! ». Le 6 septembre, le texte est corrigé, avant d'être publié dans la *Revue des deux Mondes* le 1er novembre suivant.

Sous la cote 09, la Bibliothèque historique de la Ville de Paris possède un texte autographe de George Sand, où il est facile de distinguer une ébauche à laquelle elle a par la suite renoncé. Voici ces pages inédites, intitulées *Monsieur Le Chien (fait à propos de M. Le Chien)* :

« Depuis quelques jours, je me sentais malade d'une manière étrange. Je n'avais ni appétit, ni sommeil, nul désir de dormir, nul besoin de recouvrer mes forces. Aucune souffrance, point de désir et point d'ennui. Une lassitude infinie sans regret de l'activité perdue, enfin l'anéantissement sans effroi, l'indifférence plus forte que la résignation.

La nuit dernière à la suite d'une longue rêverie absolument vague et sans objet, je m'aperçus que j'étais mort, que je ne comprenais plus rien et que j'étais entré sans secousse et sans lutte dans la phase de l'impersonnalité absolue.

Cela est ainsi, je suis mort, c'est un fait accompli. C'est un état naturel, nécessaire, parfaitement logique, voilà tout le raisonnement qu'il me fut possible de faire, et il me sembla que je m'endormais enfin d'un sommeil vraiment délicieux, jusqu'au moment où je perdis absolument la notion du peu qui survivait en moi à moi-même.

J'ai dit que ceci avait eu lieu la nuit dernière. J'ai voulu dire que ce fut ma dernière nuit sur la planète que ses habitants appelaient la terre [planète Cybèle ou la terre comme on l'appelait alors *rayé*]. Peut-être s'est-il passé des milliers d'années depuis cette nuit-là, car j'ignore l'intervalle écoulé entre la fin de cette existence et le commencement de l'autre. Probablement j'ai traversé divers modes d'exister avant d'être entièrement renouvelé comme je le suis à présent. Mais cela, je ne puis le dire. Je ne m'en souviens pas. [cette nuit-là. Je ne connais plus les mesures du temps depuis que (trois mots illisibles) alors qu'on comptait les divers instants de la durée *rayé*].

Comme je m'étais anéanti sans savoir comment, je me réveillai sans en avoir conscience. Au jour je sentis que j'existais, que j'étais moi, que je sortais d'un berceau, d'un songe, d'une mort, d'une enfance. Tout était changé autour de moi. Pourtant je me retrouvais moi-même. Je me souvenais vaguement d'avoir déjà vécu beaucoup de fois. Rien ne m'étonnait. Je marchais à peine et il me semblait être plus ancien que toutes les choses nouvelles qui attiraient mes regards. J'avais retrouvé le sentiment de ma personnalité, mais d'une façon toute nouvelle et pleine de douceur.

Un jour, la mémoire du passé se réveilla. Peu à peu elle se dégagea de la confusion des réminiscences et je revis très nettement les milieux et les âges que j'avais traversés. Pour m'assurer que je n'étais pas dupe de quelque illusion, je m'adressai à des jeunes gens un peu plus âgés que moi que je voyais occupés à écrire et je leur demandai s'ils mettaient en ordre leurs souvenirs. Oui, me dirent-ils, nous sommes arrivés à l'âge où l'on fait l'histoire des âges antérieurs. Vous souvenez-vous du temps où l'on nous apprenait l'histoire ?

Vous m'en faites souvenir. On apprenait cela dans des livres. Il y avait des professeurs qui parlaient des choses [des historiens *rayé*] écoulées ; il y avait des historiens, [professeurs *rayé*] qui les écrivaient [en parlaient *rayé*] ; mais chacun à son point de vue, et d'une manière si contradictoire que nous étions forcés de douter de tout. On nous traitait de jeunesse sceptique. C'était la faute de nos instituteurs.

— Cela est exact, me répondit-on. A présent ce mal n'existe plus. On n'apprend plus l'histoire, on se la remémore. Chaque personne arrivée à l'âge de force et de raison [chacun *rayé*] rapporte et inscrit ce qu'il a vu jadis et le communique aux autres qui confrontent cette expérience avec la leur, la discutent et prononcent sur la sincérité, l'exactitude et la sagesse des différentes versions. Il est facile de juger [voir *rayé*] ceux qui ont compris leur temps et ceux qui ont agi et pensé sans le comprendre. On leur démontre leurs erreurs, on redresse leurs appréciations, on leur explique les préjugés [erreurs *rayé*] de vision qu'ils ont subis et on les ramène aux véritables notions de l'histoire. Tout cela se passe entre jeunes gens du même âge qui consacrent une année de leur vie à ce travail et à ces discussions sans qu'aucun contrôle officiel intervienne, après quoi l'assemblée s'étant mise d'accord à l'unanimité, l'éducation sociale, religieuse, politique et morale est terminée quant au passé et on s'occupe [passe aux *rayé*] des sciences de l'avenir, c'est-à-dire des sciences proprement dites qui sont toujours dans la voie d'un [rapide *rayé*] progrès rapide et sans entraves.

Quelques années plus tard, je fus appelé à rendre compte à mon tour de ma vie passée. Ce fut pour moi une horrible souffrance et une honte mortelle. Je me souvenais alors avec beaucoup de netteté d'avoir été frivole, paresseux, inutile dans mes existences précédentes, je n'avais rien de bon à dire de moi, tandis que quelques autres avaient leurs vies plus ou moins bien remplies. Ils le disaient sans orgueil et parlaient de leurs anciens *moi* comme ils eussent parlé de personnes étrangères tandis que je sentais violemment le remords et la confusion de ma nullité. Je demandais qu'il me fût accordé de ne pas raconter mon histoire et je me plaignis [plaignais *rayé*] de l'institution qui me semblait inquisitoriale et tyrannique. Voici la réponse que me fit celui de nous qui présidait à nos débats ».

Le thème qui rassemble les deux contes est celui de la métempsychose. Ce n'est pas la première fois que George Sand l'aborde. A la fin de la sixième *Lettre d'un voyageur*, on lit : « O verte Bohême ! patrie fantastique des âmes sans ambition et sans entraves, je vais donc te revoir ! J'ai erré souvent dans tes montagnes et voltigé sur la cime de tes sapins, je m'en souviens fort bien, quoique je ne fusse pas encore né parmi les hommes, et mon malheur est venu de n'avoir pu t'oublier en vivant ici ». En janvier 1855, G. Sand avait perdu sa petite-fille morte à six ans (la fille de Solange). A la suite de ce terrible deuil, elle écrivit *Après la mort de Jeanne Clésinger*[4], texte dans lequel elle évoque une vision qui lui permet de retrouver la défunte au sein d'une autre vie. La grand-mère éplorée rencontre une merveilleuse créature qu'elle croit reconnaître :

« Avez-vous donc la mémoire de vos existences précédentes ? lui dis-je, plus frappée à chaque instant de sa divine ressemblance.

— Nous en avons la certitude, répondit-elle. Notre foi nous la donne, nos sciences nous l'enseignent, et un instinct naturel que l'éducation développe en nous avec soin, nous fait retrouver avec plus ou moins d'effort et de netteté, selon le plus ou moins d'excellence de notre organisation bien cultivée, le souvenir des temps et des lieux que nous avons traversés ».

Dans *Laura* (1864), George Sand fait dire à Alexis :

« Nous avons deux âmes : l'une qui vit en nous et ne nous quitte pas, l'autre qui vit hors de nous et que nous ne connaissons pas. La première nous sert à vivre transitoirement et s'éteint en apparence avec nous ; la seconde nous sert à vivre éternellement, et se renouvelle sans cesse avec nous, ou plutôt c'est elle qui renouvelle, et qui fournit, sans s'épuiser jamais, à toutes les séries de nos existences successives ».

Et le premier octobre 1866, elle écrivait à Flaubert : « J'avais un frère[5] très drôle, qui souvent disait : « Du temps que j'étais chien... ! » Il croyait être homme très récemment. Moi, je crois que j'étais végétal ou pierre. Je ne suis pas toujours bien sûre d'exister complètement, et, d'autres fois, je crois sentir une grande fatigue accumulée pour avoir trop existé ». Flaubert était particulièrement préparé à comprendre ce genre d'impressions, lui qui confiait à Maxime Du Camp avoir vécu à Rome du temps de César ou de Néron !

La philosophie idéaliste et anti-tragique de George Sand devait se trouver en consonance avec la théorie platonicienne ou plutôt bouddhiste des réincarnations successives. Rien, bien entendu, qui ressemble à l'adhésion à un credo précis, mais des harmonies spirituelles et poétiques ouvrant sur les perspectives d'un cycle indéfini de métamorphoses progressives.

Le Chien joue, d'abord, comme *Le Gnome des huîtres*,

13

sur l'onomastique : décidément, *nomen numen*... Mais il s'agit surtout d'introduire la réflexion sur les destinées du corps et de l'âme, soumises à la Loi d'épuration et d'avancement universel : le chien sage deviendra homme, comme le brave cheval se transformera en bon cocher, et celui-ci en maître éclairé. Cette machine à fabriquer du supplément d'être peut aussi fonctionner à rebours, et produire du moins, au lieu de plus, soustraire au lieu d'ajouter : le mauvais maître redeviendra chien. Mais ces reculs exceptionnels (qui font songer au jeu de l'oie, lorsqu'on y tombe sur l'injonction fatale : reculez de trois cases) confirment la règle d'ensemble qui est bien celle d'un cheminement, à travers des formes de plus en plus complètes, subtiles et riches, vers toujours plus de perfection intérieure. Le grand système des promotions et des limogeages, des percées brillantes et des honteuses rétrogradations n'a de sens que s'il est dynamiquement orienté vers un « point oméga » qui confirme le principe selon lequel tout ce qui monte converge. Si l'on retombe, c'est que l'on obéit à une vocation ascensionnelle. Les « séparations d'espèce » tamisent les impuretés, filtrent l'essence de plus en plus volatile et éthérée d'une âme qui ne cesse de s'affranchir de la pesanteur et de l'épaisseur matérielles. Quand j'étais pierre, j'attendais ; truite et fleur, j'aspirais ; homme, je désire : trois étages (ou étapes) du transformisme général. La vie travaille ainsi à une permanente ascèse, qui est aussi appel à plus de lumière et d'intelligence. Dans le cas précis de l'animal, dont George Sand traite ici, la conviction que tout être est en transit vers une incarnation supérieure amène évidemment à une pédagogie (en l'occurrence, canine) qui refuse la violence et la répression et qui, toute fondée sur la confiance, ne vise qu'à établir et renforcer le trésor de la conscience et de la dignité : il ne s'agit en somme que d'appliquer à une catégorie provisoirement inférieure les mêmes principes qui guident l'éducation proprement humaine. Le minéral déjà frémit comme d'un obscur pressentiment qui traverse ses limbes opaques. La bête, incommensurablement en avance sur le caillou, est simplement en retard par rapport à nous, qui l'avons précédée ; George Sand postule une compréhension non seulement possible, mais nécessaire, entre deux stades différents d'un même processus. Elle va même jusqu'à s'accuser de n'avoir pas su interpréter le langage du chien refusant par chagrin de se nourrir : tout est signe, Fadet a bien quelque chose à dire, dans son être encore embrumé et inchoatif, mal dégagé de sa gangue instinctive et pourtant déjà éclairé d'un rayon de pensée, déjà en partance pour l'humanité.

Fadet se souvient d'avoir longtemps habité non pas sous de vastes portiques, mais dans un décor tout à fait familier, très reconnaissable : c'est le monde de Nohant, c'est-à-dire celui de la comtesse de Ségur ; chacun de ses auditeurs s'y retrouve, *de te fabula narratur*. Avec *La Fleur sacrée*, d'une certaine manière le plus ambitieux des *Contes* et, nous l'avons vu, celui qui lui a donné le plus de travail, George Sand mise, pour délivrer le même message, sur des moyens opposés : les prestiges d'une Asie mythique, les chatoiements de l'exotisme. Non qu'elle ne se soit sérieusement renseignée, au contraire ; il est visible qu'elle a lu des encyclopédies, consulté des atlas ; les éléments historiques et géographiques qu'elle donne sont parfaitement vérifiables. Mais il est non moins certain qu'ils ne sont là que pour servir d'alibi à une vision purement imaginaire. Cette Malaisie, cette Birmanie où tout est plus formidable, plus intense, plus coloré qu'ailleurs, où la nature offre une innocence et une luxuriance doublement rousseauistes (celles de Jean-Jacques et celles du Douanier), et la civilisation des merveilles de fastes dignes des *Mille et une Nuits,* fournissent à la rêverie un aliment fabuleux et, accessoirement, administrent une leçon de relativité (donc d'ouverture d'esprit et de tolérance), puisque, pulvérisées, nos catégories européennes ne peuvent, dans ce milieu lyrique, qu'avouer leur mesquinerie et leur pauvreté.

Le thème de l'amitié entre un éléphant et un être humain n'est certes pas neuf, et après George Sand bien d'autres l'ont encore exploité (ne citons que Kipling et, au cinéma, l'ancien *Elephant boy* de Korda et Flaherty, le récent *Tusk* de Jodorowski). Ici, la brusque, l'illuminante révélation de sir William plongeant dans son passé de pachyderme sacré amène en quelque sorte l'animal à prendre lui-même la parole, à dire « je », à raconter de l'intérieur son aventure, qui est moins celle de la liberté et de l'esclavage que celle de la découverte de l'Amour entre deux créatures d'espèces différentes qui parviennent à un échange absolu. Le lien consubstantiel entre l'éléphant et son mahout est celui d'un couple autarcique qui n'a pas besoin des autres et d'ailleurs les repousse complètement. George Sand a su rendre la mystérieuse communication, toute de tendresse, entre *la Fleur* et Aor. La féminisation du nom laisserait supposer que l'éléphant est une éléphante. Mais rien ici de trouble comme dans la balzacienne *Passion dans le désert*... Nous sommes à mille lieues de tout fantasme zoophilique. Il s'agit simplement d'une humanisation progressive du bestial par la grâce de l'affection et du respect réciproque. Quoique de caste inférieure, Aor, par la délicatesse et la sincérité du cœur, s'élève jusqu'à la noblesse princière, quasi divine, celle de l'animal sublime dont il est le seul compagnon. Quoique entravé par les limites de son animalité, l'éléphant, exalté au-dessus de lui-même par un amour partagé, accède presque à l'humain : pieux, serein et doux, il vaut mieux que beaucoup d'hommes, il est digne d'exercer pleinement la pensée, à laquelle il est pratiquement parvenu. A la fin de son histoire, lorsque les deux « amants » persécutés ont réussi à fuir et reconquis la pauvreté, la nudité essentielles, ils atteignent la transparence suprême, symbiotique, édénique : lisant parfaitement l'un en l'autre, ils vivent chaque jour le miracle tout simple de l'union, ils communiquent de plain-pied dans l'évidence du sentiment. La mort de l'un est immédiatement, naturellement suivie de la mort de l'autre : tout se passe sans le moindre pathos et comme allant de soi. Imagine-t-on Yseut survivant à Tristan ?

Ainsi George Sand plaide-t-elle d'abord pour une redéfinition des rapports entre humains et animaux ; elle s'élève contre le gâchis qui sépare les uns et les autres, et fait un rêve : celui d'agrandir la conscience chez l'animal et d'augmenter la force chez l'homme grâce à un fécond et confiant apport mutuel de pouvoirs[6]. Dans la conclusion qu'elle a ajoutée, elle dilate encore ce rêve jusqu'aux dimensions d'un véritable Age d'Or, qui naîtra du pacte nouveau, universel, scellé entre tous les visages du vivant. L'homme n'est pas le stade dernier et définitif de la création. Lui aussi, il est en chemin, il avance vers un degré supérieur qu'il ne connaît pas encore. Il se complètera, s'accomplira, se dotera d'attributs inouïs. Bien que George Sand prédise qu'il apprendra à voler (et semble ainsi annoncer l'aviation, voire les expéditions intersidérales !), il ne s'agit pas du tout, ou pas simplement, de progrès technique, mais bien plutôt de plénitude ontologique. En pariant sur la disparition graduelle de toute forme d'agressivité et de violence, c'est-à-dire sur le triomphe de l'amour et de l'intelligence, sur l'expansion sans limites de l'Etre, George Sand cède à l'utopie romantique. Utopie nécessaire à qui a fondé toute sa vie sur une conception libérante et libératrice de l'existence humaine et nous livre ici, à quelques mois de sa mort, ses *ultima verba* d'invincible optimisme.

L'Orgue du Titan

Le manuscrit de *L'Orgue du Titan* se trouve dans la collection de Mme Joseph Maindrault, dont la générosité nous a libéralement ouvert l'accès. Ce conte est le plus ancien de la deuxième série. D'après l'Agenda de George Sand (Bibliothèque nationale, NAF 24.835), il a été commencé le 2 décembre 1873, terminé le 4 (« Je travaille roide. J'ai fini Chanturgues (sic)... Je lis ce soir le petit conte à Lina et à Maurice, ça les amuse ») et corrigé le 6. Il a été publié dans le *Temps* du 15 au 17 décembre 1873.

George Sand connaissait bien l'Auvergne. En août 1827, accompagnée de son mari, elle avait séjourné au Mont-Dore, pour une cure ; dans son *Voyage en Auvergne* (écrit en 1829, et publié seulement en 1888), elle raconte son ascension à cheval au sommet du Puy de Sancy. En 1859, grand voyage d'un mois (28 mai - 28 juin) ; dans les premiers jours de juin, elle excursionne encore dans la région du Mont-Dore. En 1860, elle situe en Auvergne son roman *Jean de la Roche*. Enfin, en août 1873, troisième visite (Riom, Clermont, Royat, le Mont-Dore) ; le 30, elle écrit à Flaubert : « C'est beau, l'Auvergne, c'est joli surtout. La flore est toujours riche et intéressante, la promenade rude, le logement difficile. J'ai tout supporté très bien, sauf les deux mille mètres d'élévation du Sancy, qui, mêlant un vent glacé à un soleil brûlant, m'ont flanqué quatre jours de fièvre [...]. Ah ! que j'ai vu de beaux endroits et des combinaisons volcaniques bizarres, où il eût fallu entendre lire ton *Saint-Antoine* dans un *cadre* digne du sujet ! » Nul doute que ces images fraîchement ravivées ne soient à la source du décor de *L'Orgue du Titan.*

Décor qui revêt ici une importance prépondérante puisque c'est en lui et par lui que l'aventure prend sens. Quittant la sécurité et la routine citadines, Angelin et maître Jean s'enfoncent dans un paysage dont l'étrangeté est évidemment symbolique : solitude éruptive où le Feu caché, endormi, couve et s'éveillera brusquement, c'est le lieu de la révélation inattendue et bouleversante, du séisme de l'Etre. La sauvagerie des apparences ne sert qu'à préparer la visitation de l'essence, le désert est toujours un espace épiphanique.

Déjà Angelin, sur le chemin de l'improbable Chanturgue, ressent pour la première fois la grandeur, de lui insoupçonnée, l'inimaginable beauté de la nature, saisies dans les « sublimes horreurs » (style du temps) qui l'environnent. Première initiation, étroitement liée à celle qui va suivre. Ce qui va le foudroyer en effet, au retour, c'est la brutale rencontre avec lui-même, le face à face dévorant avec sa vérité, qu'il ne connaissait pas. La roche Sanadoire le convoque à l'épreuve par excellence : celle de la découverte cruciale de soi. Une vocation d'artiste va se manifester ; événement prodigieux, dont George Sand a aimé plus d'une fois approcher et célébrer le mystère (cf. dans la première série des *Contes, Le château de Pictordu*, récit lui aussi significativement « volcanique »).

Le fantastique n'est donc pas seulement inscrit sur le visage de la nature auvergnate. Ces formes troublantes, nées de quels spasmes géologiques ? ne sont que le signe d'une révolution beaucoup plus radicale, et tout intérieur : celle qui conduit une jeune âme à prendre conscience de ses pouvoirs et à les assumer, à travers les étapes — l'explosion, le chaos, la maîtrise — du processus de maturation spirituelle. A la roche Sanadoire, Angelin *naît*, dans une terreur religieuse, au paroxysme d'un ébranlement tellurique. La terre tremble pour accoucher d'un musicien. Le récit bonhomme, où abondent les notations pittoresques ou amusées, prend dès lors une dimension impressionnante et décolle complètement. Bien entendu, le vin fournit aux esprits épris de vraisemblance la caution qu'ils réclament. Toute cette histoire peut se réduire en somme à quelques verres de trop et à un jeu de mots (qui dut bien, en effet, fournir à George Sand la matrice rêveuse de son conte) entre Chanturgue et Chant-orgue, Sanadoire et Sonatoire. Quelque chose pourtant nous dit que l'essentiel n'est pas là. Le picotement des orties apparaît bien anodin pour rendre compte de la souffrance qui étreint Angelin, de la dilatation folle qui l'emporte au cœur de ses improvisations. L'effondrement du rocher, lui aussi, n'est que trop « naturel ». Le texte invite à chercher plus loin.

Du côté des Titans, justement. Ce qui n'était d'abord que

plaisanterie dans la bouche d'un cuistre désireux d'ébaubir un gamin se charge en fait d'une signification profonde. P. Pelckmans remarque à juste titre que la référence mythologique donne au récit « une mystérieuse grandeur, à la fois évanescente et capitale puisque, s'il semble impossible de l'expliciter avec quelque rigueur, elle représente indubitablement (son) enjeu essentiel »[7]. Qu'arrive-t-il à Angelin au clavier imaginaire de l'orgue, sinon, comme aux Titans dont son maître lui a narré la fable, et comme Jansiré lui-même aux orgues de la cathédrale dans le délire d'un jeu inspiré, de succomber lui aussi à la tentation d'« escalader le ciel » ? Qu'est-ce à dire, sinon que l'acte de création esthétique est, obscurément, une insurrection, une menace contre les prérogatives de Jupiter (ou de Dieu) ? Symptomatique, la connotation luciférienne de la Roche : le maître y porte un toast sacrilège à la santé du Diable, et la musique de l'instrument titanesque ferait un digne accompagnement du Sabbat ; interprétée pendant l'Elévation, elle jurera furieusement avec le recueillement qu'elle est censée favoriser (et n'oublions pas l'exclamation qui met en branle le récit : « Diable de titan, va ! »). C'est que, tout au fond, l'artiste prend quelque chose à la divinité, lui dérobe un peu de son pouvoir suprême, il se dresse peu ou prou en rival — avant de témoigner pour elle. D'abord confus, désordonné et anarchique — et en cela diabolique et infécond : on songe à Gambara, chez Balzac — le don doit se dominer, s'approfondir et s'épurer ; porteur alors de beauté et de vérité, il ne saurait inquiéter Dieu, il parle pour lui. Angelin méritera pleinement son nom.

Il n'en reste pas moins que l'expérience de l'artiste est celle d'un *soulèvement* (dans tous les sens du mot) littéralement surhumain. Le sacré, l'investiture titanesque d'Angelin est bien une figure « de ce véritable miracle humain qu'est, pour l'esthétique romantique, l'éclosion du génie »[8]. Agrandi, exalté, titanisé jusqu'à une stature michelangelesque, explicitement mosaïque, l'enfant se trouve projeté sur un Sinaï d'où il retombe dans une catastrophe qui ressemble à un châtiment. Se serait-il approché trop près du principe absolu de toute création ? Toute manifestation d'art ne serait-elle pas un geste sublime d'*hybris*, tendant spontanément à une mégalomanie illimitée ? La montagne s'écroule, la corde du piano se brise : sanctions, l'une énorme, l'autre minuscule, d'une même transgression.

En tout cas, à la roche Sanadoire, un artiste *s'est trouvé*. George Sand se plaît à interroger ce moment, entre tous émouvant et impénétrable, où un être voit soudain son destin et l'embrasse. Accessoirement, elle cloue au pilori la mauvaise pédagogie de maître Jean, aveugle et impatiente. Angelin n'a eu besoin de personne. Sans parents, comme tant de héros de contes, il s'est fait tout seul : fils d'une grâce séminale, gratuite, inexplicable, fils aussi d'un travail modeste et opiniâtre, l'un n'étant rien sans l'autre, l'un postulant l'autre pour l'accomplissement parfait, la symphonique et plénière résonance des grandes orgues du Moi.

Ce que disent les fleurs

Le manuscrit de ce conte est la propriété du colonel Sickles, qui nous en a aimablement autorisé la consultation. L'Agenda de George Sand indique qu'il a été terminé le 29 juin 1875, pour être publié dans *Le Temps* le 14 juillet suivant[9].

Le titre fait évidemment allusion à *Ce que dit le ruisseau,* un texte de 1863 où pour la première fois George Sand a délibérément essayé de traduire le langage des éléments naturels. C'est bien en effet une interrogation sur une langue secrète, codée, difficilement accessible et déchiffrable, qui lance le récit : l'enfant désire pénétrer l'idiome mystérieux des fleurs. Seule l'enfance peut concevoir de pareils désirs, et les combler. L'âge adulte (ici représenté par un pédagogue borné, tristement infidèle à sa mission d'appel et d'éveil) nie qu'il puisse y avoir là objet de connaissance. Il décide que la soif herméneutique de l'enfant n'est qu'aberration mentale, injustifiable caprice. Mais la grand-mère (où, comme en d'autres recoins des *Contes,* il n'est pas difficile de reconnaître George Sand s'insérant dans sa fiction, et jouant avec le vertige des miroirs, puisqu'Aurore est à la fois la petite-fille d'aujourd'hui à qui sa grand-mère destine le conte qu'elle écrit, mais aussi la grand-mère elle-même, jadis héroïne du conte, à qui sa propre grand-mère, etc. etc. éternel retour des noms et des filiations, éternel *continuo* de la vie...) la grand-mère, elle, a su garder l'esprit d'enfance, et affirme hautement la nécessité de ce genre de questionnement. Qui n'essaie pas, avec la patience et l'attention qui s'imposent, de s'approcher du « parlage » du monde pour en surprendre le sens, ne se doute même pas des trésors qu'il côtoie. Loin d'être pathologique, cette curiosité est, fondamentalement, et dans tous les sens du mot, intelligence. Et poésie. Découverte de la nature et de soi.

La nature transmet donc un message. Les fleurs s'expriment à leur manière. Et le vent. Il suffit de vouloir et savoir se mettre à l'écoute. Ce que l'on apprend n'est pas toujours à la hauteur de l'attente. Dans le jardin, l'enfant tombe en pleine médiocrité parlementaire : c'est à qui dépassera l'autre en surenchère de revendications prétendues démocratiques et égalitaires. Chacun plaide pour soi, donnant champ libre à ses aigreurs, à ses rancœurs, à ses ambitions. C'est l'étalage peu ragoûtant de l'auto-satisfaction et de la vanité. Il faut quitter l'espace du jardin, trop cultivé et civilisé (et donc trop éloigné déjà de la pure nature, trop gangrené de paraître) pour trouver plus d'authenticité. La rose sauvage a gardé la sincérité, l'innocence heureuse et sans arrière-pensée de son origine. Chez elle rien de retors ni de jaloux. Elle accepte, comme une évidence allant de soi, la royauté de sa sœur *centifolia* sur toutes les autres espèces consanguines, ce qui offre à George Sand l'aubaine didactique et poétique de déployer un catalogue digne des albums de Redouté.

Dans sa réserve souveraine, la rose elle-même ne dit rien. Sa suprême modestie se refuse à conter son origine : le mythe du Zéphyr s'en chargera, qui nous plonge dans de sombres convulsions cosmogoniques. Le monde est en proie à la lutte sans merci de deux principes antagonistes. La Mort, la Vie se livrent un combat implacable, mais la Vie, insidieusement, opiniâtrement, intelligemment, l'emporte peu à peu, à l'usure (et l'on reconnaît ici comme une annonce de *La fée Poussière*). « Fils aîné du roi des orages », le Zéphyr apparaît comme un archange du Mal, élu pour être l'agent privilégié d'une volonté purement nihiliste. Il n'est qu'élan obtusément destructeur. Mais comme dans beaucoup de mythes, et des plus profonds, des plus essentiels à l'humanité, les deux pulsions ennemies vont, d'un seul coup, se reconnaître et fondre leurs contradictions dans une union supérieure. Amoureux de la rose, le furieux à qui rien ne résiste découvre la toute-puissance de la fragilité. Les contraires s'abolissent dans l'harmonie : la faiblesse, la tendresse, la beauté, complètement désarmées, ont eu pourtant raison de la violence et de la négativité.

Mais le Zéphyr, en s'abandonnant à la pitié, a commis la faute absolue, celle qui ne saurait recevoir de pardon (celle de Brünnhilde désobéissant à Wotan). Infidèle à sa mission mortifère, il doit recevoir le salaire de sa trahison : la déchéance, la castration sadique, le reniement par ce Père qu'il a renié (et l'on songe à Zeus se dressant contre Cronos). Une chute icarienne le précipite au fond du gouffre cosmique. Mais la mort du principe de Mort signifie, très logiquement, l'éveil, plus triomphal que jamais, du principe de Vie : l'inversion du signe, la conversion définitive et la réconciliation universelle. L'optimisme sandien, une fois de plus, parie sur la « fin de Satan » et la défaite des forces du Mal rachetées par l'Amour.

Qui eût cru qu'en écoutant de modestes églantiers écouter les confidences du vent, on aurait accédé à de pareilles révélations sur l'origine et la finalité du monde ? Mais c'est le propre du conte de passer par les petites aventures pour atteindre aux grandes vérités.

Le Marteau rouge

Nous ne savons où se trouve le manuscrit du *Marteau rouge*. En revanche, à la Bibliothèque historique de la Ville de Paris, sous la cote 069, on découvre trois feuillets de la main de George Sand, d'ailleurs intervertis (ils sont à lire dans l'ordre 17, 18, 16), qui constituent à l'évidence une version abandonnée du début de notre conte. Voici ce texte inédit :

« Je vais pourtant vous raconter l'histoire d'un caillou, car si les cailloux ne parlent pas, ils savent crier quand on les frappe, et même chanter à leur manière, c'est-à-dire résonner sous le choc, comme ces roches volcaniques qu'on appelle phonolithes à cause du son clair qu'elles rendent sous le marteau. Les esprits, fées, anges, Dieux ou génies qui vivent dans un monde où nous ne pénétrons pas entendent probablement les bruits de la nature autrement que nous. Ils savent ce que nous ne savons pas. Par exemple, je ne pourrais pas vous dire si c'est le bois ou le métal qui chantent dans le piano, ou si ce n'est pas tout simplement l'air qui est diversement impressionné par la vibration des différents corps. Si le bois a un autre son que le métal, je ne crois pas qu'il recèle en lui un organe mélodieux. Je crois que les molécules qui le composent impriment à l'air le frémissement [mouvement *rayé*] qui produit un son particulier. C'est donc l'air qui serait le grand chanteur et le grand parleur, puisque sans lui nous ne saurions produire aucun son, et c'est pour cela que je me suis permis de faire babiller les fleurs au souffle du zéphyr, sans lequel elles seraient aussi muettes que les cailloux ».

Nous voyons dans l'*Agenda* que *Le Marteau rouge* a été écrit en juillet 1875. Le 12 juillet, Lolo « écoute la leçon de géologie que son père donne à Amic ». Le 14, une ennuyeuse visite vient déranger George Sand : « j'ai pu me dérober un peu à la dame de lettres, pour achever le *Marteau rouge* ». Le lendemain, « je lis le *Marteau rouge* qu'on trouve joli ». Il fut publié le 28 juillet suivant dans *Le Temps*.

On connaît le vif intérêt de George Sand pour la minéralogie. Elle écrivait à Jules Néraud (le 14 avril 1855) : « ... j'allège ma démarche, déjà peu légère, d'un tas de pierres dont je remplis ma sacoche. Je voudrais tout ramasser, tout est curieux ». Une pièce du théâtre de Nohant, *Le Pavé*, met en scène un M. Durand passionné par les pavés. Nombre de romans portent trace d'un goût profond pour le règne minéral ; *Voyage dans le cristal* suit à fond cette pente de la rêverie.

Ici, George Sand exploite une idée simple et forte : à travers le survol des millénaires, suivre l'histoire d'un même morceau de matière, pour illustrer — au delà des mésaventures de la durée — la permanence de la nature [10]. A l'origine, la montagne première, fraîche, jeune, intacte, énorme. Mais bien vite le temps se met à la tâche : l'érosion commence. Un bloc se fissure, se détache. Après le surgissement purement géologique, nous voici déjà à l'époque des fables, des mythes : Hydrocharis intervient pour morceler le rocher, le livrer au pouvoir dissolvant de l'eau (et l'on retrouve ici encore un net écho de *Ce que dit le ruisseau*). Puis l'espèce humaine apparaît : la cornaline subit le travail artisanal de l'âge de pierre. Un indien bariolé (George Sand semble se souvenir de la visite de Catlin avec ses Ioways en 1845) en fait son tomahawk, bientôt talisman pour toute la tribu. A sa mort, l'objet sacré se trouve brusquement plongé dans la nuit du tombeau. On le redéterre, on l'oublie. L'âge du bronze l'utilise, mais pour le dégrader : on s'en sert pour râper des racines. L'âge du fer l'ignore. Un paysan sans doute médiéval le retrouve, cale sa cuve avec lui, le jette parmi les choux. Un aristocrate qui a des lumières l'exhibe comme le « clou » de son cabinet. Le caprice de sa veuve le transforme en fermoir de ceinture. Une petite fille en assaisonne la soupe de sa poupée. Une autre en garde un ultime et minuscule éclat, monté en bague à son doigt.

Ainsi, du chaos de la Genèse aux innocentes bêtises des

Malheurs de Sophie, que d'avatars, que d'avanies ! Que de gloires, d'éclipses et de sorts divers... Quelle traversée dans l'épaisseur chronologique ! Peu à peu l'objet s'est amoindri. De son gigantisme hercynien, de son opacité monumentale, il ne reste plus qu'une miette infime, sans doute promise à la disparition bientôt. Mais faut-il s'en attrister ? George Sand ne le pense pas. Le monde ne vieillit pas, il se transforme. Comme dans *Le géant Yéous* (première série), la nature refait ailleurs ce qu'elle défait ici. La durée ne tue pas, elle modifie ; elle produit tout autant qu'elle détruit. Les apparences changent ; si la forme se perd, la substance demeure, au-delà des accidents qui semblent l'exténuer. La conteuse invite donc ses jeunes auditrices à être sensibles à cette immense, émouvante sédimentation du Temps dans n'importe quel fragment du monde, à ce noyau de Temps vertigineusement, paradoxalement solidifié. Leçon qui relativise l'existence humaine — notre espèce durera-t-elle autant que le marteau rouge ? Avant que nous ne fussions, la pierre était ; après nous, elle sera encore — mais sereinement : la vie universelle besogne, elle emporte choses et êtres dans son flux changeant. Et tout est bien ainsi. La Nature est une « bonne fée » — pure manière de parler, puisqu'il n'y a pas de fées, il n'y a que le jeu infini d'une vie qui se nourrit de mort pour se continuer, sous des visages toujours identiques et toujours différents.

La Fée Poussière

Nous ignorons où se cache le manuscrit. Mais la Bibliothèque historique de la Ville de Paris possède un texte autographe (cote 069), où, sous le double titre « Le Vent. La Fée Poussière », se reconnaît une entame inédite, que voici :

« Quand j'étais très jeune, très jeune, mes chères petites, j'ai été très liée avec le vent. Je ne parle pas du petit Zéphyr qui est l'ami de tout le monde, ni de l'aimable brise qui est agréable à tous les âges ; je parle d'un gros et grand vent qui ébouriffe les pierrots et les enfants, qui étourdit et irrite les personnes et les arbres. J'avais lu dans la mythologie que ce vent-là s'appelait Eurus, et je continuai à lui donner ce nom qui vous fera mieux comprendre que je croyais voir en lui un personnage surhumain, une divinité.

Quand je dis voir, je ne l'ai jamais vu, ni vous non plus. On peut pourtant voir son arrivée et suivre ses mouvements plus ou moins forts, en regardant le tortillement [mouvement *rayé*] des branches [arbres *rayé*] et l'échevellement des herbes qu'il secoue. Mais quant à voir sa figure, son corps, ses ailes, il n'y a pas moyen.

Dans ce temps-là, je me persuadais qu'il était un être parce qu'il avait une voix, et une belle voix, on peut le dire. Je croyais entendre les paroles de son chant et depuis, j'avoue que je n'en ai jamais entendu de plus éloquentes et de plus mélodieuses.

Un jour qu'il soufflait terriblement sur le toit de la maison et faisait craquer les charpentes, je l'écoutais de la lucarne du grenier. Il passait en rafales si près de moi, que je ne pus me retenir de lui dire : emmène-moi donc !

Viens ! me répondit-il, viens faire un tour de promenade et tout aussitôt je me trouvai dans l'espace [le vide *rayé*] avec lui.

J'eus d'abord grand peur. Que crains-tu, me dit-il, n'es-tu pas avec moi ?

— J'ai peur, lui-dis-je, parce que je ne sens plus rien sous mes pieds et que me voilà perdu dans le vide.

Il n'y a pas de vide, reprit-il en m'emportant au-dessus des plaines. Tu le verras bien tout à l'heure. Au lieu de te laisser distraire par une sotte frayeur, profite de ta promenade et observe ce que tu rencontres.

Ote-moi la crainte, lui dis-je. C'est facile, répondit-il. Cherche ton corps.

Mon corps ? Je ne sais ce qu'il est devenu. Je crois que je l'ai laissé à la maison, je ne le vois plus. Je ne le sens plus. Je ne sais ce que j'en ai fait.

— Tu vois bien, reprit Eurus, que je ne me suis pas embarrassé de ta personne. Je n'ai emporté que ton esprit et puisque tu n'as plus de corps, tu n'as pas à craindre de le briser en retombant sur la terre.

— C'est juste ! m'écriai-je. Or donc, mon bon ami Eurus, amusons-nous et voyageons bien loin.

A ce moment nous planions déjà plus haut que le vol des pigeons et tout à coup nous nous trouvâmes au milieu d'une bande de grues qui nous aborda [entoura *rayé*] en criant d'une voix plaintive et en formant devant nous un triangle majestueux.

— Que nous veulent-elles ? demandai-je à Eurus.

— Elles me demandent de ne pas contrarier leur marche ; et, s'adressant aux oiseaux voyageurs : Passez, passez, mes bons pèlerins, leur dit-il. Laissez-vous bercer par mon souffle et ne craignez rien. Vous êtes les enfants de l'air, et quand il est trop agité, vous avez l'esprit de vous diriger à travers ses caprices.

Les grues passèrent en le remerciant et en repliant avec coquetterie [grâce *rayé*] leurs longs cous sur leurs épaules lustrées. Plus loin nous eûmes même rencontre et même conversation avec des oies sauvages, et comme on était en automne, je m'amusai fort à voir de près les évolutions gracieuses et les manœuvres savantes de tous ces beaux émigrants semblables à des navires, cinglant en pleine mer, vers des contrées lointaines.

La bourrasque commençant à s'apaiser, j'entendis la cloche du dîner dont le son clair montait à une hauteur extraordinaire. Et vite, dis-je à mon léger compagnon, ramène-moi à la lucarne du grenier. Rends-moi à mon corps qui n'a pas faim tant que mon esprit trotte, mais qui sera attendu et grondé s'il ne se met pas à table à l'heure dite.

Je ne sais pas comment la chose se fit, mais je me trouvai à ma place, devant la soupe, comme les autres jours, et lorsqu'on me demanda où j'avais passé mon après-midi par cette tempête, il me fut impossible de le dire. Je ne m'en souvenais pas. Je ne me rappelai ma promenade aérienne que quelques jours après, quand le vent recommença à souffler. Alors je revis comme dans un rêve le plaisir que j'avais eu et j'appelai Eurus qui voulut bien m'entendre et m'emporter encore. Mais ce jour-là, comme la terre était très sèche, j'éprouvai un grand malaise [j'eus une grande frayeur *rayé*]. L'air était tout troublé et je distinguais à peine les objets. Allons plus haut, dis-je à Eurus. Cette poussière m'étouffe et m'empêche de voir.

Eurus ne parut pas faire attention à ma prière, et comme je me sentais esprit, je crus pouvoir voler sans lui aussi haut qu'il me plairait.

Mais à peine l'avais-je quitté que je vis passer près de moi dans l'air épaissi [et lourd *rayé*] une forme effrayante. C'était une énorme vieille, traînant après elle d'interminables voiles grisâtres et une immense chevelure blanche. Elle semblait avoir des millions d'années, et pourtant elle flottait en bondissant avec souplesse. Elle passa près de moi et me montra une figure pâle, des yeux de feu, une bouche énorme, édentée, contractée par un rire cruellement ironique.

Je l'évitai, je crus du moins l'avoir évitée, et toujours volant dans l'air opaque, je me persuadais être bien loin d'elle, quand, tout à coup, je vis qu'elle volait à mes côtés et qu'elle étendait sur moi un grand bras décharné tout prêt à me saisir.

— Eurus, mon cher Eurus ! m'écriai-je, viens ou je meurs !

Eurus accourut en riant, souffla sur le fantôme, et le fantôme s'évanouit en fumée blafarde autour de nous. Mais il se reforma bientôt, glissant tantôt sous nos pieds, tantôt sur nos flancs [à nos côtés essayant, *rayé*], ne disant mot, mais essayant toujours de me saisir.

— Ramène-moi, criai-je à Eurus. Je ne veux plus vivre dans les airs, puisque tu ne peux pas écarter cette affreuse apparition [démon *rayé*], remets-moi sur la terre.

— Ne fais donc pas attention à elle, me répondit le vent. C'est la fée Poussière, elle ne peut rien sur les esprits.

Mais j'avais une peur folle, et, m'échappant du sein d'Eurus, je redescendis au plus vite dans le jardin où j'espérais me cacher sous les arbres.

Vain espoir, la fée Poussière reparut auprès de moi. Cette fois elle n'était plus géante, mais elle était plus inquiétante encore sous la forme d'une petite vieille couverte de haillons poudreux. Je voulus courir, mais je n'avais plus ni pieds ni pattes puique je n'avais plus de corps, et mon pauvre esprit glacé par la crainte ne pouvait plus réagir.

— Enfant imbécile, me dit alors la vieille, pourquoi me redouter et me fuir ? On te l'a dit, je ne peux rien sur toi [que te contrister par ma vue et ma parole *rayé*]. J'ai voulu savoir si tu étais brave, et tu ne l'es point, parce que tu es esclave de l'ignorance et du préjugé.

Je me sentis rassuré et j'osai lui demander ce qu'il fallait savoir et croire pour n'être plus poltron.

Je veux bien te l'apprendre, reprit-elle. Cette nuit, quand tu dormiras, appelle-moi par trois fois. Je viendrai te prendre et je te montrerai bien d'autres merveilles que n'a pu le faire ton ami Eurus, mon petit serviteur. En parlant ainsi elle disparut en ricanant et je me sentis réintégré dans mon corps, oubliant, à dîner, les terreurs... ».

On peut imaginer que si George Sand a renoncé à ce début (où s'entend comme un écho lointain de la fameuse lettre de Voiture berné), c'est parce qu'elle a craint de s'embarquer avec Eurus sur une voie qu'elle avait déjà suivie avec le Zéphyr de *Ce que disent les fleurs*. Le vent avait déjà parlé. Elle a donc préféré cette fois donner la parole directement, et sans passer par cette longue introduction, au nouvel élément naturel qui l'intéressait.

D'après l'Agenda, le conte, commencé le 17 juillet 1875, a été achevé et lu en public le lendemain, corrigé le 19, retravaillé le 21 et le 22 encore. Il a paru dans *Le Temps* le 11 août suivant.

Méprisée et combattue, la poussière méritait réhabilitation : rien dans la nature qui, aux yeux de George Sand, ne soit revêtu, pour peu qu'on sache l'envisager, de nécessité et de beauté. Déjà la poussière permet de surprendre fugitivement en elle la transfiguration réellement miraculeuse qui, par le jeu de la lumière, magnifie son insignifiance, son apparent mutisme sale et renfrogné en un éclaboussement de splendeur. La véritable féérie est celle-là : toutes les baguettes magiques ne valent pas la visitation d'un rayon de soleil.

Mais il y a plus : la poussière n'est pas seulement la preuve (bien romantique) que les réalités les plus disgraciées recèlent des merveilles brusquement révélées avant de se dissimuler à nouveau. A qui l'analyse chimiquement et philosophiquement, la poussière apparaît comme l'alpha et l'oméga du monde. Tout est poussière, et la poussière est tout : voilà ce qu'un rêve, à la fois poétique et scientifique, se chargera de manifester. Au cours d'une longue visite guidée dans l'endessous des choses, la petite fille découvre la terrifiante, l'enthousiasmante complexité des processus de transformations qui, depuis l'antre originel où s'opère la brutale gésine du magma premier, jusqu'à l'avènement de l'être humain sur la terre, poursuit opiniâtrement, à travers les siècles des siècles, la grande aventure de la matière évoluant peu à peu vers l'esprit. Incroyable chimie, cuisine extraordinaire à laquelle s'affaire infatigablement un ingénieur inspiré qui serait aussi un génial maître-queux, et qui dicte à George Sand des pages tout enfiévrées d'un lyrisme matérialiste d'autant plus vibrant qu'il s'agit pour elle de célébrer non pas l'immobilité pesante, mais au contraire le mouvement, la fusion, l'échange, l'adaptation et l'avancée vers des formes toujours plus subtiles et parfaites —

c'est-à-dire plus spirituelles — du vivant. Une formidable intelligence est à l'œuvre dans le maniement de ces éléments inertes qui, d'abord grossièrement soumis à des traitements violents, se civilisent et s'adoucissent jusqu'à entrer dans les combinaisons les plus fines, se prêtant à d'infinis dosages, à des mélanges raffinés, jusqu'à sécréter en eux l'éclosion d'un atome animé qui ouvre à l'avenir des horizons inépuisables. Visiblement imprégnée d'optimisme darwinien, George Sand s'enchante à dérouler la vision rétrospective de toute l'aventure — la poussière engendre les plantes, qui engendrent les poissons, qui engendrent les reptiles, qui engendrent les hommes —, vision prospective tout aussi bien, puisque l'état actuel de notre espèce ne saurait, en bonne logique, en constituer l'achèvement, et qu'il nous promet de futures et inimaginables métamorphoses (cf. *La Fleur sacrée).* L'évolution de la vie ne saurait être stoppée en un point quelconque de son parcours. Sa loi est de ne s'arrêter jamais, pour se modifier et s'épurer toujours. C'est donc un progrès indéfini qui est désigné comme la vocation d'une humanité tendue vers des formes supérieures de l'Etre. Les objections naïves de l'enfant ne font que renforcer l'évidence et la nécessité de ce destin. La dialectique de la Vie et de la Mort, qui choque l'observateur superficiel, et dont George Sand ne perd aucune occasion de souligner la sereine grandeur, apparaît comme un principe suprême, intangible, en un mot : divin. L'homme y est engagé entièrement, mais il aurait bien tort de se révolter contre elle : c'est elle qui lui assure la perspective d'une amélioration continue de sa nature, jusqu'au jour lointain, et certain, où il se trouvera doté d'autant de pouvoirs qu'il en attribue aujourd'hui aux fées et aux génies. Certes, la « grande cause », le « roi des génies » demeurent inconnus à cet éphémère ; mais ils ne sont rien d'autre que le travail même de la vie se fabriquant et se perfectionnant sans cesse avec la mort qui la sustente. Pensée lucrétienne peut-être, qui n'a rien d'accablant, mais nous repose au contraire dans l'apaisante et exigeante lucidité de qui sait quelle est sa juste place dans l'histoire des formes du cosmos.

Ainsi l'indifférence de la nature, thème lui aussi romantique s'il en fut (non moins que son contraire !) est ici privé de toute résonance tragique, de même que George Sand, qui fait implicitement allusion au chrétien « Memento quia pulvis es, et in pulverem reverteris », lui dénie la moindre valeur eschatologique. De la poussière à la poussière, certes c'est le lot de toutes les choses, et des hommes. Aucune épouvante pascalienne, aucun appel à une quelconque transcendance. La poussière est la Vérité ultime. Et cette vérité n'est pas triste. Au contraire : dans la dernière vision qui s'offre à la jeune rêveuse, c'est une apothéose. La gloire du soleil levant semble faire rayonner, dans un pauvre tas de poussière, une intarissable fécondité. Beaucoup de morts minuscules, de rebuts infimes s'accumulent et s'absorbent pourtant dans un obscur vouloir-exister qui déjà, dirait-on, secrètement palpite. Invisible mais présente, la vie est là, qui s'efforce, et du non-sens accouche le sens, en un éternel *Germinal*.

Le Gnome des huîtres

Le manuscrit de ce conte est malheureusement inaccessible. Le 24 juillet 1875 (tandis qu'Aurore est en proie à la rougeole), George Sand écrit dans son Agenda : « J'ai travaillé trois heures à plusieurs reprises et j'ai fait un conte qui a réjoui la compagnie, ce soir ». Le lendemain, correction. Le surlendemain, nouvelle correction, mise au point et expédition. Le conte parut le 25 août dans *Le Temps*.

Il est en relation directe avec un épisode de la chronique familiale. Au moment où George Sand le rédige, Maurice Sand et l'ami Edmond Plauchut s'apprêtaient à quitter Nohant pour une expédition scientifico-gastronomique : « Maurice et Plauchut partent demain matin pour la Rochelle, les Sables, etc., exploration géologique de la côte. Maurice se promet des fossiles, Plauchut beaucoup d'huîtres non fossiles dans le cornet » (Agenda du 10 août), et dans une lettre du 12 août à Henri Amic : « Maurice et Plauchut sont partis pour une *tournée d'huîtres*. Vous savez que Plauchut voyage pour comparer la chair de ces intéressants mollusques ». Il semble donc vraisemblable d'identifier l'« original », l'aimable « fantaisiste », connu des jeunes auditrices, à ce bon vivant, ce joyeux épicurien, intime de Nohant depuis dix ans.

L'intérêt du conte tient à la manière dont il bascule progressivement dans le délire. Réduit à ses éléments « rationnels », il se borne à peu de chose : un dîner trop arrosé (comme dans *L'Orgue du Titan,* l'ivresse permet une justification commode, trop commode, de visions ou d'événements ressentis comme inexplicables) et un jeu onomastique sur gnome/Gaume. C'était donc « tout bonnement » cela... Pourtant, nous sentons bien — et tout le travail de George Sand vise à faire sentir — qu'il y a, quelque part, autre chose.

Il y a, d'abord, le fantastique de la science pure. Le « cours » ostréicole est très bien fait, sérieux et informé (Maurice est passé sûrement par là). Mais la typologie, la nomenclature latine des espèces, déroulée sur un rythme de plus en plus rapide par le maniaque dans le musée secret de sa folie douce, se charge peu à peu de quelque chose d'inquiétant : il n'y a pas que le temps qui s'affole, dans ce vertigineux survol, depuis les origines du monde jusqu'à l'époque moderne, des avatars de l'huître à travers les âges ; la raison elle aussi vacille devant cette prolifération démente des espèces et des formes, cette variation infinie de l'objet saisi dans l'infinie modulation de son nom. Le catalogue s'emballe, on perd pied. La bizarrerie des dénominations, leur accumulation bientôt haletante conduit l'esprit vers la panique poétique qui — Borges l'a bien montré — bée au fond du gouffre de toute érudition.

A quoi s'ajoute la férocité impérialiste propre au geste même du collectionneur, qui plie l'univers entier aux appétits totalitaires de son obsession. L'huître semble envahir un monde frappé d'ostréicisme généralisé : faite pour être avalée, ne va-t-elle pas l'avaler à son tour ? Les vapeurs du sauterne ne suffisent pas à rendre compte de l'étrange violence qui, peu à peu, s'installe dans un climat onirique de plus en plus prononcé. Le gnome tout à fait hoffmannien échappe au simple pittoresque pour se muer en figure maléfique : mi-humain, mi-animal, participant à la fois du terrestre et du marin, il apparaît comme une créature insituable, dangereusement amphibie, un être d'indétermination et, par là, de menace. La mer se trouve contaminée, dirait-on, par une malédiction sordide, et la scène complètement cauchemardesque de la lutte contre le monstre (qui se révèle être le chien Tom, ce qui rassure sans doute les petites filles, mais ne trompe personne) se charge d'une intensité d'affect particulièrement trouble. Nul doute qu'à travers la répulsion ce ne soit une fascination qui se donne ici à lire. De l'élément aquatique primordial émergent démons et merveilles. Une Bête est née des eaux, qui a failli nous entraîner avec elle. Terreur (scène ?) primitive, inanalysable, impossible peut-être à contempler en face, nécessaire pourtant à qui veut définir son identité, affermir et affirmer son humanité. Peur qui est aussi, tout au fond, tentation. C'est précisément une des fonctions des contes d'exorciser, sans en avoir l'air, et tout en l'assouvissant, cette dangereuse et impérieuse séduction.

La Fée aux gros yeux

Le manuscrit de ce conte n'est pas localisé. Nous savons, grâce à l'Agenda, que George Sand a commencé à y travailler le 29 juillet 1875, par des recherches entomologiques, ce qui confirme que l'épisode du « bal » est bien le noyau imaginaire producteur du texte. La rédaction était terminée le 5 août. Le 6, George Sand corrige. Maurice l'aide « pour les micros ». Le 7, lecture à Lolo : « je l'emballe ». *La Fée aux gros yeux* parut dans *Le Temps*, le 8 septembre 1875.

Dans le pragmatisme et les certitudes d'un univers très raisonnablement « british », la gouvernante irlandaise introduit une note d'inquiétante étrangeté : peut-être a-t-elle apporté avec elle quelque chose des légendes, superstitions et mystères de son pays. Pourtant, comme d'autres dans le recueil, le conte liquide le surnaturel. Pas de « fées » ici, si ce n'est par métaphore. Ce qui ne signifie pas l'absence de tout fantastique : Mister Bat le précepteur est bien, d'une certaine manière, un *Batman*, créature bizarre dont le patronyme semble induire ou refléter la nature ambiguë. George Sand indique avec finesse des traits (promenades giratoires, yeux vulnérables à la lumière) qui peuvent se lire à la fois dans le registre humain et celui d'une animalité plus ou moins troublante. En fait, les hallucinations de miss Barbara finiront par s'avouer pour telles, et Elsie, en voyant l'« Homme-Chauve-souris » dévorer de bon appétit son beefsteak, comprendra qu'il est tout à fait plongé dans la vie positive, saine, c'est-à-dire anglaise, tandis que la gouvernante, qu'on devine vieille fille, ne fait, avec ses orgies de thé, qu'irriter des fantasmes innocemment névrotiques.

Pourtant, cette tête gentiment fêlée, qui voit ce qui n'existe pas, voit aussi ce que les autres ne savent pas voir, et qui existe bel et bien : celle qui se cogne aux portes et harangue burlesquement les arbres est aussi la seule, avec ses yeux-microscopes, à percevoir les myriades papillonnant autour de ses fleurs. Handicapée et vaguement ridicule, miss Barbara est aussi dépositaire d'une révélation privilégiée. C'est une « voyante », et c'est bien à une initiation qu'elle convie Elsie, dans le secret du pavillon nocturne : le bal entomologique, cœur du récit — que George Sand avait déjà décrit, chez la princesse Cavalcanti, dans *Le secrétaire intime* en 1834, mais du point de vue opposé : êtres humains « déguisés » en insectes[11] — c'est l'entrevision d'un monde insoupçonné. Elsie, qui croyait avoir de bons yeux, comprend qu'elle n'avait jamais rien vu. Affaire d'attention physique et, si l'on peut dire, morale. En effet, la leçon de miss Barbara, c'est le caractère inépuisable de la beauté naturelle, ici saisie dans des êtres infinitésimaux, offerte avec une prodigalité d'autant plus émouvante que toute cette chatoyante splendeur, non utilitaire, non visible pour la plupart, est jetée à pleines mains par la vie en un geste d'une gratuité magnifique. Chacun, irremplaçable, précieux, et d'une folle somptuosité, d'une complexité inouïe, est pourtant perdu dans une prolifération de masse, par milliards, Qu'est-ce à dire, sinon que le principe de la création universelle est infini ? En une « mise en abyme » pascalienne (et tout à fait anti-pascalienne...), George Sand, par la bouche de miss Barbara, se penche, et nous penche sur le vertige d'une interrogation sans fond : microcosme et macrocosme se télescopent et nous laissent complètement désorientés devant l'évidence béante du vouloir-vivre biologique, éternellement actif. Rien de surnaturel là-dedans : nulle angoisse métaphysique, nul besoin d'aller quérir ailleurs du merveilleux. Quoi de plus merveilleux, au sens le plus juste du mot, en effet, que cette générosité, cette fécondité, cette « dépense » sans rivages ? Eblouis par leur « courte existence d'ivresse, de parure et de fêtes », les papillons tournoient pour célébrer le prix inestimable de la vie, éphémère, mais intarissable et sainte. A qui sait observer et réfléchir, leur féérie toute naturelle apprend qu'il n'y a sans doute pas d'autre vérité que celle-là. L'être humain lui aussi est pris dans cette énorme créativité. Lui aussi, anonyme et unique, il naît, il meurt, c'est la règle, il accepte. Qu'il danse donc sa vie, dans la lumière et la joie ! Le recueil s'achève sur l'invitation à ouvrir les yeux et le cœur à l'exubérance vitale du monde : pouvait-il mieux finir ?

Nous reproduisons le texte de l'édition originale, posthume (un volume in-18 de 290 pages chez Calmann-Lévy,

1876, sous le titre du premier conte, *Le Chêne parlant*, avec en surtitre *Contes d'une grand-mère*, sans indication de tomaison)[12]. Nous avons étudié les manuscrits chaque fois que cela a été possible et nous donnons la plupart des premiers jets.

M. Georges Lubin nous a aidé avec sa science et son efficacité légendaires ; nos remerciements vont aussi à Mme Joseph Maindrault, au colonel Sickles, à M. Thierry Bodin et à notre amie Josiane Vuala.

Philippe BERTHIER.

[1] *Ce que dit la bouche d'ombre*, *Les Contemplations*, VI, XXVI.

[2] P. Péju, *La petite fille dans la forêt des contes*, R. Laffont, 1981, P. 265. On aura profit à lire cet ouvrage, dont l'inspiration bachelardienne corrige ce que les analyses de B. Bettelheim peuvent avoir de trop étroitement freudien.

[3] Bachelard, *La poétique de la rêverie*, PUF, 1961, P. 92.

[4] Publié dans le recueil posthume *Souvenirs et idées*, Calmann-Lévy, 1904. On trouvera ce texte dans les *Œuvres autobiographiques*, Bibl. de la Pléiade, t. II, p. 1223.

[5] En fait un demi-frère, Hippolyte Chatiron, fils naturel non reconnu de Maurice Dupin, né en 1799, mort en 1848.

[6] On songe à la phrase de Lamartine : « Le monde des animaux est un océan de sympathies dons nous ne buvons qu'une goutte, quand nous pourrions en absorber par torrents ».

[7] *Fantastique et pédagogie. L'Orgue du Titan de George Sand*, in *PGS* n° 12, 1981. Où l'on voit qu'un texte « pour enfants » peut répondre aux catégories d'un René Girard...

[8] P. Pelckmans, *art. cit.*

[9] Il faut protester contre le traitement indéfendable auquel a été soumis le texte de *Ce que disent les fleurs* dans l'adaptation publiée sous le titre *Brise et Rose* en 1977 aux éditions Des Femmes. Mireille Parise dans son article *Les métamorphoses d'un conte* (*PGS* n° 1, 1978) a parfaitement exprimé ce qu'il faut penser de pareils procédés.

[10] Un peu comme dans *Le Galet* de Francis Ponge.

[11] Comparer : « Le bal fut magnifique. Grâce à la plus bizarre et à la plus folle des inventions de la princesse, toute la cour représenta une immense collection de papillons et d'insectes. Des justaucorps bigarrés serraient la taille ; de grandes ailes d'étoffe, montées sur du laiton imperceptible, se déployaient derrière les épaules ou le long des flancs ; et l'on ne pouvait trop admirer l'exactitude des nuances, la forme des accidents, la coupe et l'attitude des ailes, et jusqu'à la physionomie de chaque insecte reproduite par la coiffure du personnage chargé de le représenter. Le bon abbé Scipione, métamorphosé en sauterelle, gambadait agréablement dans son mince vêtement de crêpe vert tendre. Le pimpant Lucioli, emprisonné dans une écaille bombée de satin marron, et le ventre couvert d'un gilet rayé de noir et de blanc, représentait admirablement un hanneton de la plus grosse espèce connue. La grande et mince marchesa Lucioli, ex-mistress White, était fort brillante sous un long corps de velours noir et de grandes ailes de taffetas jaune rayé de noir. Avec sa longue face pâle, les déchiquetures de ses ailes et sa démarche péniblement folâtre, on l'eût prise pour ce grand papillon nommé Podalyre, qui est si embarrassé de sa longue stature que les hirondelles dédaignent de le poursuivre et le laissent se débattre contre le vent, pêle-mêle avec les feuilles jaunies et dentelées du sycomore. Le beau page Galeotto représentait le charmant papillon Argus ; les pierreries de toutes couleurs ruisselaient sur ses ailes de velours bleu tendre, doublées d'un satin nuancé de rose, d'abricot et

de nacre. La Ginetta portait un corselet d'azur rayé de noir ; elle était coiffée de ses cheveux bruns relevés en grosses touffes sur ses tempes. Belle avec sa tête large et plate, mince dans son corsage étroit, folâtre sous ses transparentes ailes de crêpe bleu, elle offrait le plus beau type d'*agrillon-demoiselle* qu'on eût vu depuis longtemps. Quant à Julien, on l'avait déguisé en *antyope*, avec des ailes de velours noir frangées d'or.

C'était la princesse elle-même qui avait présidé au choix et à la distribution de tous ces costumes. Elle avait consulté vingt savants et compulsé tous les traités d'entomologie de sa bibliothèque pour arriver à une perfection capable de donner le délire de la joie au plus grave de tous les professeurs d'histoire naturelle. Elle avait assorti chaque rôle, ou au moins chaque couleur, au caractère ou à la physionomie de chaque personnage. On voyait autour d'elle de belles Vénitiennes déguisées en guêpes, en noctuelles, en piérides ; de brillants officiers convertis en cerf-volants, en capricornes, en sphinx. On vit plusieurs jeunes abbés en fourmis et le majordome en araignée. On admira beaucoup le sphinx Atropos. La *manthe précheresse* eut un plein succès, et les femmes jetèrent des cris d'épouvante à l'aspect du grand bousier sacré des Egyptiens.

Mais parmi ces cohortes aériennes, Quintilia se distinguait par la richesse et la simplicité de son costume. Elle avait choisi pour emblème le blanc phalène de la nuit. Sa robe et ses ailes de gaze d'argent mat tombaient négligemment le long de sa taille. Elle avait pour coiffure deux marabouts blancs qui, s'abaissant de son front sur chacune de ses épaules, représentaient fort agréablement deux antennes mœlleuses.

Les salles étaient tapissées et jonchées de fleurs ; des échelles de soie, cachées sur des guirlandes de roses, étaient tendues le long des murs ou suspendues aux voûtes. Les plus hardis grimpaient sur ces frêles soutiens, se tenaient accrochés, les ailes pliées ; au-dessous des plafonds, se balançaient entre les colonnes, ou s'élançaient de l'une à l'autre en agitant leurs ailes diaphanes ». (Chapitre VIII). L'*Histoire du véritable Gribouille* (1850) avait déjà cursivement évoqué ce thème.

12 Annoncé dans la *Bibliographie de la France* du 30 septembre.

Le Chêne
parlant

A Mademoiselle Blanche Amic[1]

Il y avait autrefois en la forêt de Cernas[2] un gros vieux chêne qui pouvait bien avoir cinq cents ans. La foudre l'avait frappé plusieurs fois, et il avait dû se faire une tête nouvelle, un peu écrasée, mais épaisse et verdoyante.

Longtemps ce chêne avait eu une mauvaise réputation. Les plus vieilles gens du village voisin disaient encore que, dans leur jeunesse, ce chêne parlait et menaçait ceux qui voulaient se reposer sous son ombrage. Ils racontaient que deux voyageurs, y cherchant un abri, avaient été foudroyés. L'un d'eux était mort sur le coup; l'autre s'était éloigné à temps et n'avait été qu'étourdi, parce qu'il avait été averti par une voix qui lui criait :

— Va-t'en vite !

L'histoire était si ancienne qu'on n'y croyait plus guère, et, bien que cet arbre portât encore le nom de *chêne parlant,* les pâtours[3] s'en approchaient sans trop de crainte. Pourtant le moment vint où il fut plus que jamais réputé sorcier après l'aventure d'Emmi.

Emmi était un pauvre petit gardeur de cochons, orphelin et très malheureux, non seulement parce qu'il était mal logé, mal nourri et mal vêtu, mais encore parce qu'il détestait les bêtes que la misère le forçait à soigner. Il en avait peur, et ces animaux, qui sont plus fins qu'ils n'en ont l'air, sentaient bien qu'il n'était pas le maître avec eux. Il s'en allait dès le matin, les conduisant à la glandée, dans la forêt. Le soir, il les ramenait à la ferme, et c'était pitié de le voir, couvert de méchants haillons, la tête nue, ses cheveux hérissés par le vent, sa pauvre petite figure pâle, maigre, terreuse, l'air triste, effrayé, souffrant, chassant devant lui ce troupeau de bêtes criardes, au regard oblique, à la tête baissée, toujours menaçante. A le voir ainsi courir à leur suite sur les sombres bruyères, dans la vapeur rouge du premier crépuscule, on eût dit d'un follet des landes chassé par une rafale.

Il eût pourtant été aimable et joli, ce pauvre petit porcher, s'il eût été soigné, propre, heureux comme vous autres, mes chers enfants qui me lisez. Lui ne savait pas lire, il ne savait rien, et c'est tout au plus s'il savait parler assez pour demander le nécessaire, et, comme il était craintif, il ne le demandait pas toujours, c'était tant pis pour lui si on l'oubliait.

Un soir, les pourceaux rentrèrent tout seuls à l'étable, et le porcher ne parut pas à l'heure du souper. On n'y fit attention que quand la soupe aux raves fut mangée, et la fermière envoya un de ses gars pour appeler Emmi. Le gars revint dire qu'Emmi n'était ni à l'étable, ni dans le grenier, où il couchait sur la paille. On pensa qu'il était allé voir sa tante, qui demeurait aux environs, et on se coucha sans plus songer à lui.

Le lendemain matin, on alla chez la tante, et on s'étonna d'apprendre qu'Emmi n'avait point passé la nuit chez elle. Il n'avait pas reparu au village depuis la veille. On s'enquit de lui aux alentours, personne ne l'avait vu. On le chercha en vain dans la forêt. On pensa que les sangliers et les loups l'avaient mangé. Pourtant on ne retrouva ni sa sarclette, — sorte de houlette à manche court dont se servent les porchers, — ni aucune loque de son pauvre vêtement; on en conclut qu'il avait quitté le pays pour vivre en vagabond, et le fermier dit que ce n'était pas un grand dommage, que l'enfant n'était bon à rien, n'aimant pas ses bêtes et n'ayant pas su s'en faire aimer.

Un nouveau porcher fut loué pour le reste de l'année, mais la disparition d'Emmi effrayait tous les gars du pays ; la dernière fois qu'on l'avait vu, il allait du côté du chêne parlant, et c'était là sans doute qu'il lui était arrivé malheur. Le nouveau porcher eut bien soin de n'y jamais conduire son troupeau et les autres enfants se gardèrent d'aller jouer de ce côté-là.

Vous me demandez ce qu'Emmi était devenu. Patience, je vais vous le dire.

La dernière fois qu'il était allé à la forêt avec ses bêtes, il avait avisé à quelque distance du gros chêne une touffe de favasses en fleurs. La favasse ou féverole, c'est cette jolie papilionacée à grappes roses que vous connaissez, la gesse tubéreuse ; les tubercules sont gros comme une noisette, un peu âpres quoique sucrés. Les enfants pauvres en sont friands ; c'est une nourriture qui ne coûte rien et que les pourceaux, qui en sont friands aussi, songent seuls à leur disputer. Quand on parle des anciens anachorètes vivant de *racines,* on peut être certain que le mets le plus recherché de leur austère cuisine était, dans nos pays du centre, le tubercule de cette gesse.

Emmi savait bien que les favasses ne pouvaient pas encore être bonnes à manger, car on n'était qu'au commencement de l'automne, mais il voulait marquer l'endroit pour venir fouiller la terre quand la tige et la fleur seraient desséchées. Il fut suivi par un jeune porc qui se mit à fouiller et qui menaçait de tout détruire, lorsque Emmi, impatienté de voir le ravage inutile de cette bête vorace, lui allongea un coup de sa sarclette sur le groin. Le fer de la sarclette était fraîchement repassé et coupa légèrement le nez du porc, qui jeta un cri d'alarme. Vous savez comme ces animaux se soutiennent entre eux, et comme certains de leurs appels de détresse les mettent tous en fureur contre l'ennemi commun ; d'ailleurs, ils en voulaient depuis longtemps à Emmi, qui ne leur prodiguait jamais ni caresses ni compliments. Ils se rassemblèrent en criant à qui mieux mieux et l'entourèrent pour le dévorer. Le pauvre enfant prit la fuite, ils le poursuivirent ; ces bêtes ont, vous le savez, l'allure effroyablement prompte ; il n'eut que le temps d'atteindre le gros chêne, d'en escalader les aspérités et de se réfugier dans les branches.[4] Le farouche troupeau resta au pied, hurlant, menaçant, essayant de fouir pour abattre l'arbre. Mais le chêne parlant avait de formidables racines qui se moquaient bien d'un troupeau de cochons. Les assaillants ne renoncèrent pourtant à leur entreprise qu'après le coucher du soleil. Alors, ils se décidèrent à regagner la ferme, et le petit Emmi, certain qu'ils le dévoreraient s'il y allait avec eux, résolut de n'y retourner jamais.

Il savait bien que le chêne passait pour être un arbre enchanté, mais il avait trop à se plaindre des vivants pour craindre beaucoup les esprits. Il n'avait vécu que de misère et de coups ; sa tante était très dure pour lui : elle l'obligeait à garder les porcs, lui qui en avait toujours eu horreur. Il était né comme cela, elle lui en faisait un crime, et, quand il venait la voir en la suppliant de le reprendre avec elle, elle le recevait, comme on dit, avec une volée de bois vert. Il la craignait donc beaucoup, et tout son désir eût été de garder les moutons dans une autre ferme où les gens eussent été moins avares et moins mauvais pour lui.

Dans le premier moment après le départ des pourceaux, il ne sentit que le plaisir d'être débarrassé de leurs cris farouches et de leurs menaces, et il résolut de passer la nuit où il était. Il avait encore du pain dans son sac de toile bise, car, durant le siège qu'il avait soutenu, il n'avait pas eu envie de manger. Il en mangea la moitié, réservant le reste pour son déjeuner ; après cela, à la grâce de Dieu !

Les enfants dorment partout. Pourtant Emmi ne dormait guère. Il était malingre, souvent fiévreux, et rêvait plutôt qu'il ne se reposait l'esprit durant son sommeil. Il s'installa du mieux qu'il put entre deux maîtresses branches garnies de mousse, et il eut grande envie de dormir ; mais le vent qui faisait mugir le feuillage et grincer les branches l'effraya, et il se mit à songer aux mauvais esprits, tant et si bien qu'il s'imagina entendre une voix grêle et fâchée qui lui disait à plusieurs reprises :

— Va-t'en, va-t'en d'ici!

D'abord Emmi, tremblant et la gorge serrée, ne songea point à répondre ; mais, comme, en même temps que le vent s'apaisait, la voix du chêne s'adoucissait et semblait lui murmurer à l'oreille d'un ton maternel et caressant : « Va-t'en, Emmi, va-t'en! » Emmi se sentit le courage de répondre :

— Chêne, mon beau chêne, ne me renvoie pas. Si je descends, les loups qui courent la nuit me mangeront.

— Va, Emmi, va! reprit la voix encore plus radoucie.

— Mon bon chêne parlant, reprit aussi Emmi d'un ton suppliant, ne m'envoie pas avec les loups. Tu m'as sauvé des porcs, tu as été doux pour moi, sois-le encore. Je suis un pauvre enfant malheureux, et je ne puis ni ne voudrais te faire aucun mal : garde-moi cette nuit ; si tu l'ordonnes, je m'en irai demain matin.

La voix ne répliqua plus, et la lune argenta faiblement les feuilles. Emmi en conclut qu'il lui était permis de rester, ou bien qu'il avait rêvé les paroles qu'il avait cru entendre. Il s'endormit et, chose étrange, il ne rêva plus et ne fit plus qu'un somme jusqu'au jour. Il descendit alors et secoua la rosée qui pénétrait son pauvre vêtement.

— Il faut pourtant, se dit-il, que je retourne au village, je dirai à ma tante que mes porcs ont voulu me manger, que j'ai été obligé de coucher sur un arbre, et elle me permettra d'aller chercher une autre condition.

Il mangea le reste de son pain ; mais, au moment de se remettre en route, il voulut remercier le chêne qui l'avait protégé le jour et la nuit.

— Adieu et merci, mon bon chêne, dit-il en baisant l'écorce, je n'aurai plus jamais peur de toi, et je reviendrai te voir pour te remercier encore.

Il traversa la lande, et il se dirigeait vers la chaumière de sa tante, lorsqu'il entendit parler derrière le mur du jardin de la ferme.

— Avec tout ça, disait un des gars, notre porcher n'est pas revenu, on ne l'a pas vu chez sa tante, et il a abandonné son troupeau. C'est un sans-cœur et un paresseux à qui je donnerai une jolie roulée de coups de sabot, pour le punir de me faire mener ses bêtes aux champs aujourd'hui à sa place.

— Qu'est-ce que ça te fait, de mener les porcs ? dit l'autre gars.

— C'est une honte à mon âge, reprit le premier : cela convient à un enfant de dix ans, comme le petit Emmi ; mais, quand on en a douze, on a droit à garder les vaches ou tout au moins les veaux.

Les deux gars furent interrompus par leur père.

— Allons vite, dit-il, à l'ouvrage ! Quant à ce porcher de malheur, si les loups l'ont mangé, c'est tant pis pour lui ; mais, si je le retrouve vivant, je l'assomme. Il aura beau aller pleurer chez sa tante, elle est décidée à le faire coucher avec les cochons pour lui apprendre à faire le fier et le dégoûté.

Emmi, épouvanté de cette menace, se le tint pour dit. Il se cacha dans une meule de blé, où il passa la journée. Vers le soir, une chèvre qui rentrait à l'étable, et qui s'attardait à lécher je ne sais quelle herbe, lui permit de la traire. Quand il eut rempli et avalé deux ou trois fois le contenu de sa sébile de bois, il se renfonça dans les gerbes jusqu'à la nuit. Quand il fit tout à fait sombre et que tout le monde fut couché, il se glissa jusqu'à son grenier et y prit diverses choses qui lui appartenaient, quelques écus gagnés par lui que le fermier lui avait remis la veille et dont sa tante n'avait pas encore eu le temps de le dépouiller, une peau de chèvre et une peau de mouton dont il se servait l'hiver, un couteau neuf, un petit pot de terre, un peu de linge fort déchiré. Il mit le tout dans son sac, descendit dans la cour, escalada la barrière et s'en alla à petits pas pour ne pas faire de bruit; mais, comme il passait près de l'étable à porcs, ces maudites bêtes le sentirent ou l'entendirent et se prirent à crier avec fureur. Alors, Emmi, craignant que les fermiers, réveillés dans leur premier sommeil, ne se missent à ses trousses, prit sa course et ne s'arrêta qu'au pied du chêne parlant.

— Me voilà revenu, mon bon ami, lui dit-il. Permets-moi de passer encore une nuit dans tes branches. Dis si tu le veux!

Le chêne ne répondit pas. Le temps était calme, pas une feuille ne bougeait. Emmi pensa que qui ne dit mot consent. Tout chargé qu'il était, il se hissa adroitement jusqu'à la grosse enfourchure où il avait passé la nuit précédente, et il y dormit parfaitement bien.

Le jour venu, il se mit en quête d'un endroit convenable pour cacher son argent et son bagage, car il n'était encore décidé à rien sur les moyens de s'éloigner du pays sans être vu et ramené de force à la ferme. Il grimpa au-dessus de la place où il se trouvait. Il découvrit alors dans le tronc principal du gros arbre un trou noir fait par la foudre depuis bien longtemps, car le bois avait formé tout autour un gros bourrelet d'écorce. Au fond de cette cachette, il y avait de la cendre et de menus éclats de bois hachés par le tonnerre.

— Vraiment, se dit l'enfant, voilà un lit très doux et très chaud où je dormirai sans risque de tomber en rêvant. Il n'est pas grand, mais il l'est assez pour moi. Voyons pourtant s'il n'est pas habité par quelque méchante bête.

Il fureta tout l'intérieur de ce refuge, et vit qu'il était percé par en haut, ce qui devait amener un peu d'humidité dans les temps de pluie. Il se dit qu'il était bien facile de boucher ce trou avec de la mousse. Une chouette avait fait son nid dans le conduit.

— Je ne te dérangerai pas, pensa Emmi, mais je fermerai la communication. Comme cela, nous serons chacun chez nous.

Quand il eut préparé son nid pour la nuit suivante et installé son bagage en sûreté, il s'assit dans son trou, les jambes dehors appuyées sur une branche, et se mit à songer vaguement à la possibilité de vivre dans un arbre ; mais il eût souhaité que cet arbre fût au cœur de la forêt au lieu d'être auprès de la lisière, exposé aux regards des bergers et porchers qui y amenaient leurs troupeaux. Il ne pouvait prévoir que, par suite de sa disparition, l'arbre deviendrait un objet de crainte, et que personne n'en approcherait plus.

La faim commençait à se faire sentir, et, bien qu'il fût très petit mangeur, il se ressentait bien de n'avoir rien pris de solide la veille. Irait-il déterrer les favasses encore vertes qu'il avait remarquées à quelques pas de là ? ou irait-il jusqu'aux châtaigniers qui poussaient plus avant dans la forêt ?

Comme il se préparait à descendre, il vit que la branche sur laquelle reposaient ses pieds n'appartenait pas à son chêne. C'était celle d'un arbre voisin qui entre-croisait ses belles et fortes ramures avec celles du chêne parlant. Emmi se hasarda sur cette branche et gagna le chêne voisin qui avait, lui aussi, pour proche voisin un autre arbre facile à atteindre. Emmi, léger comme un écureuil, s'aventura ainsi d'arbre en arbre jusqu'aux châtaigniers où il fit une bonne récolte. Les châtaignes étaient encore petites et pas très mûres ; mais il n'y regardait pas de bien près, et il mit comme qui dirait pied à terre pour les faire cuire dans un endroit bien désert et bien caché où les charbonniers avaient fait autrefois une fournée. Le rond marqué par le feu était entouré de jeunes arbres qui avaient repoussé depuis : il y avait beaucoup de menus déchets à demi brûlés. Emmi n'eut pas de peine à en faire un tas et à y mettre le feu au moyen d'un caillou qu'il battit du dos de son couteau, et il recueillit l'étincelle avec des feuilles sèches, tout en se promettant de faire provision d'amadou sur les arbres décrépits, qui ne manquaient pas dans la forêt. L'eau d'une rigole lui permit de faire cuire ses châtaignes dans son petit pot de terre, à couvercle percé, destiné à cet usage. C'est un meuble dont en ce pays-là tout pâtour est nanti.

Emmi, qui ne rentrait souvent que le soir à la ferme, à cause de la grande distance où il devait mener ses bêtes, était donc habitué à se nourrir lui-même, et il ne fut pas embarrassé de cueillir son dessert de framboises et de mûres sauvages sur les buissons de la petite clairière.

— Voilà, pensa-t-il, ma cuisine et ma salle à manger trouvées.

Et il se mit à nettoyer le cours du filet d'eau qu'il avait à sa portée. Avec sa sarclette, il enleva les herbes pourries, creusa un petit réservoir, débarrassa un petit saut que l'eau faisait dans la glaise et l'épura avec du sable et des cailloux. Cet ouvrage l'occupa jusque vers le coucher du soleil. Il ramassa son pot et sa houlette, et, remontant sur les branches dont il avait éprouvé la solidité, il retrouva son chemin d'écureuil, grimpant et sautant d'arbre en arbre jusqu'à son chêne. Il rapportait une épaisse brassée de fougère et de mousse bien sèche dont il fit son lit dans le trou déjà nettoyé. Il entendit bien la chouette sa voisine qui s'inquiétait et grognait au-dessus de sa tête.

— Ou elle délogera, pensa-t-il, ou elle s'y habituera. Le bon chêne ne lui appartient pas plus qu'à moi.

Habitué à vivre seul, Emmi ne s'ennuya pas. Etre débarrassé de la compagnie des pourceaux fut même pour lui une source de bonheur pendant plusieurs jours. Il s'accoutuma à entendre hurler les loups. Il savait qu'ils restaient au cœur de la forêt et n'approchaient guère de la région où il se trouvait. Les troupeaux n'y venant plus, les compères ne s'en approchaient plus du tout. Et puis Emmi apprit à connaître leurs habitudes. En pleine forêt, il n'en rencontrait jamais dans les journées claires. Ils n'avaient de hardiesse que dans les temps de brouillard, et encore cette hardiesse n'était-elle pas grande. Ils suivaient quelquefois Emmi à distance, mais il lui suffisait de se retourner et d'imiter le bruit d'un fusil qu'on arme en frappant son couteau contre le fer de sa sarclette pour les mettre en fuite. Quant aux sangliers, Emmi les entendait quelquefois, il ne les voyait jamais ; ce sont des animaux mystérieux qui n'attaquent jamais les premiers.

omitted in Hirkus Translation

Quand il vit approcher l'époque de la cueillette des châtaignes, il fit sa provision qu'il cacha dans un autre arbre creux à peu de distance de son chêne ; mais les rats et les mulots les lui disputèrent si bien, qu'il dut les enterrer dans le sable, où elles se conservèrent jusqu'au printemps. D'ailleurs, Emmi avait largement de quoi se nourrir. La lande étant devenue absolument déserte, il put s'aventurer la nuit jusqu'aux endroits cultivés et y déterrer des pommes de terre et des raves ; mais c'était voler et la chose lui répugnait. Il amassa quantité de favasses dans les jachères et fit des lacets pour prendre des alouettes en ramassant deçà et delà des crins laissés aux buissons par les chevaux au pâturage. Les pâtours savent tirer parti de tout et ne laissent rien perdre. Emmi ramassa assez de flocons de laine sur les épines des clôtures pour se faire une espèce d'oreiller ; plus tard, il se fabriqua une quenouille et un fuseau et apprit tout seul à filer. Il se fit des aiguilles à tricoter avec du fil de fer qu'il trouva à une barrière mal raccommodée, qu'on répara encore et qu'il dépouilla de nouveau pour fabriquer des collets à prendre les lapins. Il réussit donc à se faire des bas et à manger de la viande. Il devint un chasseur des plus habiles ; épiant jour et nuit toutes les habitudes du gibier, initié à tous les mystères de la lande et de la forêt, il tendit ses pièges à coup sûr et se trouva dans l'abondance.

Il eut même du pain à discrétion, grâce à une vieille mendiante idiote, qui, toutes les semaines, passait au pied du chêne et y déposait sa besace pleine, pour se reposer. Emmi, qui la guettait, descendait de son arbre, la tête couverte de sa peau de chèvre, et lui donnait une pièce de gibier en échange d'une partie de son pain. Si elle avait peur de lui, sa peur ne se manifestait que par un rire stupide et une obéissante dont elle n'avait du reste point à se repentir.

Ainsi se passa l'hiver, qui fut très doux, et l'été suivant, qui fut chaud et orageux. Emmi eut d'abord grand'peur du tonnerre, car la foudre frappa plusieurs fois des arbres assez proches du sien ; mais il remarqua que le chêne parlant, ayant été écimé longtemps auparavant et s'étant refait une cime en parasol, n'attirait plus le fluide, qui s'attaquait à des arbres plus élevés et de forme conique. Il finit par dormir aux roulements et aux éclats du tonnerre sans plus de souci que la chouette sa voisine.

Dans cette solitude, Emmi, absorbé par le soin incessant d'assurer sa vie et de préserver sa liberté, n'eut pas le temps de connaître l'ennui. On pouvait le traiter de paresseux, il savait bien, lui, qu'il avait plus de mal à se donner pour vivre seul que s'il fût resté à la ferme. Il acquérait aussi plus d'intelligence, de courage et de prévision que dans la vie ordinaire. Pourtant, quand cette vie exceptionnelle fut réglée à souhait et qu'elle exigea moins de temps et de souci, il commença à réfléchir et à sentir sa petite conscience lui adresser certaines questions embarrassantes. Pourrait-il vivre toujours ainsi aux dépens de la forêt sans servir personne et sans contenter aucun de ses semblables ? Il s'était pris d'une espèce d'amitié pour la vieille Catiche, l'idiote qui lui cédait son pain en échange de ses lapins et de ses chapelets d'alouettes. Comme elle n'avait pas de mémoire, ne parlait presque pas et ne racontait par conséquent à personne ses entrevues avec lui, il était arrivé à se montrer à elle à visage découvert, et elle ne le craignait plus. Ses rires hébétés laissaient deviner une expression de plaisir quand elle le voyait descendre de son arbre. Emmi s'étonnait lui-même de partager ce plaisir ; il ne se disait pas, mais il sentait que la présence d'une créature humaine, si dégradée qu'elle soit, est une sorte de bienfait pour celui qui s'est condamné à vivre seul. Un jour qu'elle lui semblait moins abrutie que de coutume, il essaya de lui parler et de lui demander où elle demeurait. Elle cessa tout à coup de rire, et lui dit d'une voix nette et d'un ton sérieux :

— Veux-tu venir avec moi, petit ?

— Où ?

— Dans ma maison ; si tu veux être mon fils, je te rendrai riche et heureux.

Emmi s'étonna beaucoup d'entendre parler distinctement et raisonnablement la vieille Catiche. La curiosité lui donnait quelque envie de la croire, mais un coup de vent agita les branches au-dessus de sa tête, et il entendit la voix du chêne lui dire :

— N'y va pas !

— Bonsoir et bon voyage, dit-il à la vieille ; mon arbre ne veut pas que je le quitte.

— Ton arbre est un sot, reprit-elle, ou plutôt c'est toi qui es une bête de croire à la parole des arbres.

— Vous croyez que les arbres ne parlent pas ? Vous vous trompez bien !

— Tous les arbres parlent quand le vent se met après eux, mais ils ne savent pas ce qu'ils disent ; c'est comme s'ils ne disaient rien.

Emmi fut fâché de cette explication positive d'un fait merveilleux. Il répondit à Catiche :

— C'est vous qui radotez, la vieille. Si tous les arbres font comme vous, mon chêne du moins sait ce qu'il veut et ce qu'il dit.

La vieille haussa les épaules, ramassa sa besace et s'éloigna en reprenant son rire d'idiote.

Emmi se demanda si elle jouait un rôle ou si elle avait des

moments lucides. Il la laissa partir et la suivit, en se glissant d'arbre en arbre sans qu'elle s'en aperçût. Elle n'allait pas vite et marchait le dos courbé, la tête en avant, la bouche entr'ouverte, l'œil fixé droit devant elle ; mais cet air exténué ne l'empêchait pas d'avancer toujours sans se presser ni se ralentir, et elle traversa ainsi la forêt pendant trois bonnes heures de marche, jusqu'à un pauvre hameau perché sur une colline derrière laquelle d'autres bois s'étendaient à perte de vue. Emmi la vit entrer dans une méchante cahute isolée des autres habitations, qui, pour paraître moins misérables, n'en étaient pas moins un assemblage de quelques douzaines de taudis. Il n'osa pas s'aventurer plus loin que les derniers arbres de la forêt et revint sur ses pas, bien convaincu que, si la Catiche avait un *chez elle,* il était plus pauvre et plus laid que le trou de l'arbre parlant.

Il regagna son logis du grand chêne et n'y arriva que vers le soir, harassé de fatigue, mais content de se retrouver chez lui. Il avait gagné à ce voyage de connaître l'étendue de la forêt et la proximité d'un village ; mais ce village paraissait bien plus mal partagé que celui de Cernas, où Emmi avait été élevé. C'était tout pays de landes sans trace de culture, et les rares bestiaux qu'il avait vus paître autour des maisons n'avaient que la peau sur les os. Au delà, il n'avait aperçu que les sombres horizons des forêts. Ce n'est donc pas de ce côté-là qu'il pouvait songer à trouver une condition meilleure que la sienne.

Au bout de la semaine, la Catiche arriva à l'heure ordinaire. Elle revenait de Cernas, et il lui demanda des nouvelles de sa tante pour voir si cette vieille aurait le pouvoir et la volonté de lui répondre comme la dernière fois. Elle répondit très nettement :

— La grand'Nanette est remariée, et, si tu retournes chez elle, elle tâchera de te faire mourir pour se débarrasser de toi.

— Parlez-vous raisonnablement ? dit Emmi, et me dites-vous la vérité ?

— Je te dis la vérité. Tu n'as plus qu'à te rendre à ton maître pour vivre avec les cochons, ou à chercher ton pain avec moi, ce qui te vaudrait mieux que tu ne penses. Tu ne pourras pas toujours vivre dans la forêt. Elle est vendue, et sans doute on va abattre les vieux arbres. Ton chêne y passera comme les autres. Crois-moi, petit. On ne peut vivre nulle part sans gagner de l'argent. Viens avec moi, tu m'aideras à en gagner beaucoup, et, quand je mourrai, je te laisserai celui que j'ai.

Emmi était si étonné d'entendre causer et raisonner l'idiote, qu'il regarda son arbre et prêta l'oreille comme s'il lui demandait conseil.

— Laisse donc cette vieille bûche tranquille, reprit la Catiche. Ne sois pas si sot et viens avec moi.

Comme l'arbre ne disait mot, Emmi suivit la vieille, qui, chemin faisant, lui révéla son secret.

« — Je suis venue au monde loin d'ici, pauvre comme toi et orpheline. J'ai été élevée dans la misère et les coups. J'ai gardé aussi les cochons, et, comme toi, j'en avais peur. Comme toi, je me suis sauvée ; mais, en traversant une rivière sur un vieux pont décrépit, je suis tombée à l'eau d'où on m'a retirée comme morte. Un bon médecin chez qui on m'a portée m'a fait revenir à la vie ; mais j'étais idiote, sourde, et ne pouvant presque plus parler. Il m'a gardée par charité, et, comme il n'était pas riche, le curé de l'endroit a fait des quêtes pour moi, et les dames m'ont apporté des habits, du vin, des douceurs, tout ce qu'il me fallait. Je commençais à me porter mieux, j'étais si bien soignée ! Je mangeais de la bonne viande, je buvais du bon vin sucré, j'avais l'hiver du feu dans ma chambre, j'étais comme une princesse, et le médecin était content. Il disait :

« — La voilà qui entend ce qu'on lui dit. Elle retrouve les mots pour parler. Dans deux ou trois mois d'ici, elle pourra travailler et gagner honnêtement sa vie.

« Et toutes les belles dames se disputaient à qui me prendrait chez elle.

« Je ne fus donc pas embarrassée pour trouver une place aussitôt que je fus guérie ; mais je n'avais pas le goût du travail, et on ne fut pas content de moi. J'aurais voulu être fille de chambre, mais je ne savais ni coudre ni coiffer ; on me faisait tirer de l'eau au puits et plumer la volaille, cela m'ennuyait. Je quittai l'endroit, croyant être mieux ailleurs. Ce fut encore pire, on me traitait de malpropre et de paresseuse. Mon vieux médecin était mort. On me chassa de maison en maison, et, après avoir été l'enfant chéri de tout le monde, je dus quitter le pays comme j'y étais venue, en mendiant mon pain ; mais j'étais plus misérable qu'auparavant. J'avais pris le goût d'être heureuse, et on me donnait si peu, que j'avais à peine de quoi manger. On me trouvait trop grande et de trop bonne mine pour mendier. On me disait :

« — Va travailler, grande fainéante! c'est une honte à ton âge de courir les chemins quand on peut épierrer les champs à six sous par jour.

« Alors, je fis la boiteuse pour donner à croire que je ne pouvais pas travailler ; on trouva que j'étais encore trop forte pour ne rien faire, et je dus me rappeler le temps où tout le monde avait pitié de moi, parce que j'étais idiote. Je sus retrouver l'air que j'avais dans ce temps-là, mon habitude de ricaner au lieu de parler, et je fis si bien mon personnage, que les sous et les miches recommencèrent à pleuvoir dans ma besace. C'est comme cela que je cours depuis une quarantaine d'années, sans jamais essuyer de refus. Ceux qui ne peuvent me donner d'argent me donnent du fromage, des fruits et du pain plus que je n'en peux porter. Avec ce que j'ai de trop pour moi, j'élève des poulets que j'envoie au marché et qui me rapportent gros. J'ai une bonne maison dans un village où je vais te conduire. Le pays est malheureux, mais les habitants ne le sont pas. Nous sommes tous mendiants et infirmes, ou soi-disant tels, et chacun fait sa tournée dans un endroit où les autres sont convenus de ne pas aller ce jour-là. Comme ça, chacun fait ses affaires comme il veut ; mais personne ne les fait aussi bien que moi, car je m'entends mieux que personne à paraître incapable de gagner ma vie.

— Le fait est, répondit Emmi, que jamais je ne vous aurais crue capable de parler comme vous faites.

— Oui, oui, reprit la Catiche en riant, tu as voulu m'attraper et m'effrayer en descendant de ton arbre, coiffé en loup-garou, pour avoir du pain. Moi, je faisais semblant d'avoir peur, mais je te reconnaissais bien et je me disais : « Voilà un pauvre gars qui viendra quelque jour à *Oursines-les-Bois*[5], et qui sera bien content de manger ma soupe. »

En devisant ainsi, Emmi et la Catiche arrivèrent à Oursines-les-Bois ; c'était le nom de l'endroit où demeurait la fausse idiote et qu'Emmi avait déjà vu.

Il n'y avait pas une âme dans ce triste hameau. Les animaux paissaient çà et là, sans être gardés, sur une lande fertile en chardons, qui était toute la propriété communale des habitants. Une malpropreté révoltante dans les chemins boueux qui servaient de rues, une odeur infecte s'exhalant de toutes les maisons, du linge déchiré séchant sur des buissons souillés par la volaille, des toits de chaume pourri, où poussaient des orties, un air d'abandon cynique, de pauvreté simulée ou volontaire, c'était de quoi soulever de dégoût le cœur d'Emmi, habitué aux verdures vierges et aux bonnes senteurs de la forêt. Il suivit pourtant la vieille Catiche, qui le fit entrer dans sa hutte de terre battue, plus semblable à une étable à porcs qu'à une habitation. L'intérieur était tout différent : les murs étaient garnis de paillassons, et le lit avait matelas et couvertures de bonne laine. Une quantité de provisions de toute sorte : blé, lard, légumes et fruits, tonnes de vin et même bouteilles cachetées. Il y avait de tout, et, dans l'arrière-cour, l'épinette[6] était remplie de grasses volailles et de canards gorgés de pain et de son.

— Tu vois, dit la Catiche à Emmi, que je suis autrement riche que ta tante ; elle me fait l'aumône toutes les semaines, et, si je voulais, je porterais de meilleurs habits que les siens. Veux-tu voir mes armoires ? Rentrons, et, comme tu dois avoir faim, je vas te faire manger un souper comme tu n'en as goûté de ta vie.

En effet, tandis qu'Emmi admirait le contenu des armoires, la vieille alluma le feu et tira de sa besace une tête de chèvre, qu'elle fricassa avec des rogatons de toute sorte et où elle n'épargna ni le sel, ni le beurre rance, ni les légumes avariés, produit de la dernière tournée. Elle en fit je ne sais quel plat, qu'Emmi mangea avec plus d'étonnement que de plaisir et qu'elle le força d'arroser d'une demi-bouteille de vin bleu[7]. Il n'avait jamais bu de vin, il ne le trouva pas bon, mais il but quand même, et, pour lui donner l'exemple, la vieille avala une bouteille entière, se grisa et devint tout à fait expansive. Elle se vanta de savoir voler encore mieux que mendier et alla jusqu'à lui montrer sa bourse, qu'elle enterrait sous une pierre du foyer et qui contenait des pièces d'or à toutes les effigies du siècle. Il y en avait bien pour deux mille francs. Emmi, qui ne savait pas compter, n'apprécia pas autant qu'elle l'eût voulu l'opulence de la mendiante.

Quand elle lui eut tout montré :

— A présent, lui dit-elle, je pense que tu ne voudras plus me quitter. J'ai besoin d'un gars, et, si tu veux être à mon service, je te ferai mon héritier.

— Merci, répondit l'enfant ; je ne veux pas mendier.

— Eh bien, soit, tu voleras pour moi.

Emmi eut envie de se fâcher, mais la vieille avait parlé de le conduire le lendemain à Mauvert,[8] où se tenait une grande foire, et, comme il avait envie de voir du pays et de connaître les endroits où on peut gagner sa vie honnêtement, il répondit sans montrer de colère :

— Je ne saurais pas voler, je n'ai jamais appris.

— Tu mens, reprit Catiche, tu voles très habilement à la forêt de Cernas son gibier et ses fruits. Crois-tu donc que ces choses-là n'appartiennent à personne ? Ne sais-tu pas que celui qui ne travaille pas ne peut vivre qu'aux dépens d'autrui ? Il y a longtemps que cette forêt est quasi abandonnée. Le propriétaire était un vieux riche qui ne s'occupait plus de rien et ne la faisait pas seulement garder. A présent qu'il est mort, tout ça va changer et tu auras beau te cacher comme un rat dans des trous d'arbres, on te mettra la main sur le collet et on te conduira en prison.

— Eh bien, alors, reprit Emmi, pourquoi voulez-vous m'enseigner à voler pour vous ?

— Parce que, quand on sait, on n'est jamais pris. Tu réfléchiras, il se fait tard, et il faut nous lever demain avec le jour pour aller à la foire. Je vais t'arranger un lit sur mon coffre, un bon lit avec une *couette* et une couverture. Pour la première fois de ta vie, tu dormiras comme un prince.

Emmi n'osa résister. Quand la vieille Catiche ne faisait plus l'idiote, elle avait quelque chose d'effrayant dans le regard et dans la voix. Il se coucha et s'étonna d'abord de se trouver si bien ; mais, au bout d'un instant, il s'étonna de se trouver si mal. Ce gros coussin de plumes l'étouffait, la couverture, le manque d'air libre, la mauvaise odeur de la cuisine et le vin qu'il avait bu, lui donnaient la fièvre. Il se leva tout effaré en disant qu'il voulait dormir dehors, et qu'il mourrait s'il lui fallait passer la nuit enfermé.

La Catiche ronflait, et la porte était barricadée. Emmi se résigna à dormir étendu sur la table, regrettant fort son lit de mousse dans le chêne.

Le lendemain, la Catiche lui confia un panier d'œufs et six poules à vendre, en lui ordonnant de la suivre à distance et de n'avoir pas l'air de la connaître.

— Si on savait que je vends, lui dit-elle, on ne me donnerait plus rien.

Elle lui fixa le prix qu'il devait atteindre avant de livrer sa marchandise, tout en ajoutant qu'elle ne le perdrait pas de vue, et que, s'il ne lui rapportait pas fidèlement l'argent, elle saurait bien le forcer à le lui rendre.

— Si vous vous défiez de moi, répondit Emmi offensé, portez votre marchandise vous-même et laissez-moi m'en aller.

— N'essaye pas de fuir, dit la vieille, je saurai te retrouver n'importe où ; ne réplique pas et obéis.

Il la suivit à distance comme elle l'exigeait, et vit bientôt le chemin couvert de mendiants plus affreux les uns que les autres. C'étaient les habitants d'Oursines, qui, ce jour-là, allaient tous ensemble se faire guérir à une fontaine miraculeuse. Tous étaient estropiés ou couverts de plaies hideuses. Tous sortaient de la fontaine sains et allègres. Le miracle n'était pas difficile à expliquer, tous leurs maux étant simulés et les reprenant au bout de quelques semaines, pour être guéris le jour de la fête suivante.

Emmi vendit ses œufs et ses poules, en reporta vite l'argent à la vieille, et, lui tournant le dos, s'en fut à travers la foule, les yeux écarquillés, admirant tout et s'étonnant de tout. Il vit des saltimbanques faire des tours surprenants, et il s'était même un peu attardé à contempler leurs maillots pailletés et leurs bandeaux dorés, lorsqu'il entendit à côté de lui un singulier dialogue. C'était la voix de la Catiche qui s'entretenait avec la voix rauque du chef des saltimbanques. Ils n'étaient séparés de lui que par la toile de la baraque.

— Si vous voulez lui faire boire du vin, disait la Catiche, vous lui persuaderez tout ce que vous voudrez. C'est un petit innocent qui ne peut me servir à rien et qui prétend vivre tout seul dans la forêt, où il perche depuis un an dans un vieux arbre. Il est aussi leste et aussi adroit qu'un singe, il ne pèse pas plus qu'un chevreau, et vous lui ferez faire les tours les plus difficiles.

— Et vous dites qu'il n'est pas intéressé ? reprit le saltimbanque.

— Non, il ne se soucie pas de l'argent. Vous le nourrirez, et il n'aura pas l'esprit d'en demander davantage.

— Mais il voudra se sauver ?

— Bah ! avec des coups, vous lui en ferez passer l'envie.

— Allez me le chercher, je veux le voir.

— Et vous me donnerez vingt francs ?

— Oui, s'il me convient.

La Catiche sortit de la baraque et se trouva face à face avec Emmi, à qui elle fit signe de la suivre.

— Non pas, lui dit-il, j'ai entendu votre marché. Je ne suis pas si innocent que vous croyez. Je ne veux pas aller avec ces gens-là pour être battu.

— Tu y viendras, pourtant, répondit la Catiche en lui prenant le poignet avec une main de fer et en l'attirant vers la baraque.

— Je ne veux pas, je ne veux pas ! cria l'enfant en se débattant et en s'accrochant de la main restée libre à la blouse d'un homme qui était près de lui et qui regardait le spectacle.

L'homme se retourna, et, s'adressant à la Catiche, lui demanda si ce petit était à elle.

— Non, non, s'écria Emmi, elle n'est pas ma mère, elle ne m'est rien, elle veut me vendre un louis d'or à ces comédiens !

— Et toi, tu ne veux pas ?

— Non, je ne veux pas! sauvez-moi de ses griffes. Voyez ! elle me met en sang.

— Qu'est-ce qu'il y a *de* cette femme et *de* cet enfant ? dit le beau gendarme Erambert, attiré par les cris d'Emmi et les vociférations de la Catiche.

— Bah ! ça n'est rien, répondit le paysan qu'Emmi tenait toujours par sa blouse. C'est une pauvresse qui veut vendre un gars aux sauteurs de corde ; mais on l'empêchera bien, gendarme, on n'a pas besoin de vous.

— On a toujours besoin de la gendarmerie, mon ami. Je veux savoir ce qu'il y a *de* cette histoire-là.

Et, s'adressant à Emmi :

— Parle, jeune homme, explique-moi l'affaire.

A la vue du gendarme, la vieille Catiche avait lâché Emmi et avait essayé de fuir ; mais le majestueux Erambert l'avait saisie par le bras, et vite elle s'était mise à rire et à grimacer en reprenant sa figure d'idiote. Pourtant, au moment où Emmi allait répondre, elle lui lança un regard suppliant où se peignait un grand effroi. Emmi avait été élevé dans la crainte des gendarmes, et il s'imagina que, s'il accusait la vieille, Erambert allait lui trancher la tête avec son grand sabre. Il eut pitié d'elle et répondit :

— Laissez-la, monsieur, c'est une femme folle et imbécile qui m'a fait peur, mais qui ne voulait pas me faire de mal.

— La connaissez-vous ? n'est-ce pas la Catiche ? une femme qui fait semblant *de* ce qu'elle n'est pas ? Dites la vérité.

Un nouveau regard de la mendiante donna à Emmi le courage de mentir pour lui sauver la vie.

— Je la connais, dit-il, c'est une *innocente*.

— Je saurai *de* ce qui en est, répondit le beau gendarme en laissant aller la Catiche. Circulez, vieille femme, mais n'oubliez pas que depuis longtemps j'ai l'œil sur vous.

La Catiche s'enfuit, et le gendarme s'éloigna. Emmi, qui avait eu encore plus peur de lui que de la vieille, tenait toujours la blouse du père Vincent. C'était le nom du paysan qui s'était trouvé là pour le protéger, et qui avait une bonne figure douce et gaie.

— Ah ça ! petit, dit ce bonhomme à Emmi, tu vas me lâcher à la fin ? Tu n'as plus rien à craindre ; qu'est-ce que tu veux de moi ? cherches-tu ta vie ? veux-tu un sou ?

— Non, merci, dit Emmi, mais j'ai peur à présent de tout ce monde où me voilà seul sans savoir de quel côté me tourner.

— Et où voudrais-tu aller ?

— Je voudrais retourner dans ma forêt de Cernas sans passer par Oursines-les-Bois.

— Tu demeures à Cernas ? C'est bien aisé de t'y mener, puisque de ce pas je m'en vas dans la forêt. Tu n'auras qu'à me suivre ; j'entre souper sous la ramée[9], attends-moi au pied de cette croix, je reviendrai te prendre.

Emmi trouva que la croix du village était encore trop près de la baraque des saltimbanques ; il aima mieux suivre le père Vincent sous la ramée, d'autant plus qu'il avait besoin de se restaurer avant de se mettre en route.

— Si vous n'avez pas honte de moi, lui dit-il, permettez-moi de manger mon pain et mon fromage à côté de vous. J'ai de quoi payer ma dépense : tenez, voilà ma bourse, vous payerez pour nous deux, car je souhaite payer aussi votre dîner.

— Diable ! s'écria en riant le père Vincent, voilà un gars bien honnête et bien généreux ; mais j'ai l'estomac creux, et ta bourse n'est guère remplie. Viens, et mets-toi là. Reprends ton argent, petit, j'en ai assez pour nous deux.

Tout en mangeant ensemble, Vincent fit raconter à Emmi toute son histoire. Quand ce fut terminé, il lui dit :

— Je vois que tu as bonne tête et bon cœur, puisque tu ne t'es pas laissé tenter par les louis d'or de cette Catiche, et que pourtant tu n'as pas voulu l'envoyer en prison. Oublie-la et ne quitte plus ta forêt, puisque tu y es bien. Il ne tient qu'à toi de ne plus y être tout à fait seul. Tu sauras que j'y vais pour préparer les logements d'une vingtaine d'ouvriers qui se disposent à abattre le taillis entre Cernas et la Planchette.

— Ah ! vous allez abattre la forêt ? dit Emmi consterné.

— Non ! nous faisons seulement une coupe dans une partie qui ne touche point à ton refuge du chêne parlant, et je sais qu'on ne touchera ni aujourd'hui, ni demain, à la région des vieux arbres. Sois donc tranquille, on ne te dérangera pas ; mais, si tu m'en crois, mon petit, tu viendras travailler avec nous. Tu n'es pas assez fort pour manier la serpe et la cognée ; mais, si tu es adroit, tu pourras très bien préparer les liens et t'occuper au fagotage, tout en servant les ouvriers, qui ont toujours besoin d'un gars pour faire leurs commissions et porter leurs repas. C'est moi qui ai l'entreprise de cette coupe. Les ouvriers sont à leurs pièces, c'est-à-dire qu'on les paye en raison du travail qu'ils font. Je te propose de t'en rapporter à moi pour juger de ce qu'il sera raisonnable de te donner, et je te conseille d'accepter. La vieille Catiche a eu raison de te dire que, quand on ne veut pas travailler, il faut être voleur ou mendiant, et, comme tu ne veux être ni l'un ni l'autre, prends vite le travail que je t'offre, l'occasion est bonne.

Emmi accepta avec joie. Le père Vincent lui inspirait une confiance absolue. Il se mit à sa disposition, et ils prirent ensemble le chemin de la forêt.

Il faisait nuit quand ils y arrivèrent, et, quoique le père Vincent connût bien les chemins, il eût été embarrassé de trouver dans l'obscurité la taille des buttes, si Emmi, qui s'était habitué à voir la nuit comme les chats, ne l'eût conduit par le plus court. Ils trouvèrent un abri déjà préparé par les ouvriers, qui y étaient venus dès la veille. Cela consistait en perches placées en pignon avec leurs branchages, et recouvertes de grandes plaques de mousse et de gazon. Emmi fut présenté aux ouvriers et bien accueilli. Il mangea la soupe bien chaude et dormit de tout son cœur.

Le lendemain, il fit son apprentissage : allumer le feu, faire la cuisine, laver les pots, aller chercher de l'eau, et le reste du temps aider à la construction de nouvelles cabanes pour les vingt autres bûcherons qu'on attendait. Le père Vincent, qui commandait et surveillait tout, fut émerveillé de l'intelligence, de l'adresse et de la promptitude d'Emmi. Ce n'est pas lui qui apprenait à tout faire avec rien ; c'est lui qui l'apprenait aux plus malins, et tous s'écrièrent que ce n'était pas un gars, mais un esprit follet que les bons diables de la forêt avaient mis à leur service. Comme, avec tous ses talents et industries, Emmi était obéissant et modeste, il fut pris en amitié, et les plus rudes de ces bûcherons lui parlèrent avec douceur et lui commandèrent avec discrétion.

Au bout de cinq jours, Emmi demanda au père Vincent s'il était libre d'aller faire son dimanche où bon lui semblerait.

— Tu es libre, lui répondit le brave homme ; mais, si tu veux m'en croire, tu iras revoir ta tante et les gens de ton village. S'il est vrai que ta tante ne se soucie pas de te reprendre, elle sera contente de te savoir en position de gagner ta vie sans qu'elle s'en mêle, et, si tu penses qu'on te battra à la ferme pour avoir quitté ton troupeau, j'irai avec toi pour apaiser les gens et te protéger. Sois sûr, mon enfant, que le travail est le meilleur des passeports et qu'il purifie tout.

Emmi le remercia du bon conseil, et le suivit. Sa tante, qui le croyait mort, eut peur en le voyant ; mais, sans lui raconter ses aventures, Emmi lui fit savoir qu'il travaillait avec les bûcherons et qu'il ne serait plus jamais à sa charge. Le père Vincent confirma son dire, et déclara qu'il regardait l'enfant comme sien et en faisait grande estime. Il parla de même à la ferme, où on les obligea de boire et de manger. La grand'Nanette y vint pour embrasser Emmi devant le monde et faire la bonne âme en lui apportant quelques hardes et une demi-douzaine de fromages. Bref, Emmi s'en revint avec le vieux bûcheron, réconcilié avec tout le monde, dégagé de tout blâme et de tout reproche.

Quand ils eurent traversé la lande, Emmi dit à Vincent :

— Ne m'en voudrez-vous point si je vais passer la nuit dans mon chêne ? Je vous promets d'être à la taille des buttes avant soleil levé.

— Fais comme tu veux, répondit le bûcheron ; c'est donc une idée que tu as comme ça de percher ?

Emmi lui fit comprendre qu'il avait pour ce chêne une amitié fidèle, et l'autre l'écouta en souriant, un peu étonné de son idée, mais porté à le croire et à le comprendre. Il le suivit jusque-là et voulut voir sa cachette. Il eut de la peine à grimper assez haut pour l'apercevoir. Il était encore agile et fort, mais le passage entre les branches était trop étroit pour lui. Emmi seul pouvait se glisser partout.

— C'est bien et c'est gentil, dit le bonhomme en redescendant ; mais tu ne pourras pas coucher là longtemps : l'écorce, en grossissant et en se roulant, finira par boucher l'ouverture, et toi, tu ne seras pas toujours mince comme un fétu. Après ça, si tu y tiens, on peut élargir la fente avec une serpe ; je te ferai cet ouvrage-là, si tu le souhaites.

— Oh non ! s'écria Emmi, tailler dans mon chêne, pour le faire mourir !

— Il ne mourra pas ; un arbre bien taillé dans ses parties malades ne s'en porte que mieux.

— Eh bien, nous verrons plus tard, répondit Emmi.

Ils se souhaitèrent la bonne nuit et se séparèrent.

Comme Emmi se trouva heureux de reprendre possession de son gîte ! Il lui semblait l'avoir quitté depuis un an. Il pensait à l'affreuse nuit qu'il avait passée chez la Catiche et faisait maintenant des réflexions très justes sur la différence des goûts et le choix des habitudes. Il pensait à tous ces gueux d'Oursines-les-Bois, qui se croyaient riches parce qu'ils cachaient des louis d'or dans leurs paillasses et qui vivaient dans la honte et l'infection, tandis que lui tout seul, sans mendier, il avait dormi plus d'une année dans un palais de feuillage, au parfum des violettes et des mélites, au chant des rossignols et des fauvettes, sans souffrir de rien, sans être humilié par personne, sans disputes, sans maladies, sans rien de faux et de mauvais dans le cœur.

— Tous ces gens d'Oursines, à commencer par la Catiche, se disait-il, ont plus d'argent qu'il ne leur en faudrait pour se bâtir de bonnes petites maisons, cultiver de gentils jardins, élever du bétail sain et propre ; mais la paresse les empêche de jouir de ce qu'ils ont, ils se laissent croupir dans l'ignominie. Ils sont comme fiers du dégoût et du mépris qu'ils inspirent, ils se moquent des braves gens qui ont pitié d'eux, ils volent les vrais pauvres, ceux qui souffrent sans se plaindre. Ils se cachent pour compter leur argent et périssent de misère. Quelle folie triste et honteuse, et comme le père Vincent a raison de dire que le travail est ce qui garde et purifie le plaisir de vivre !

Une heure avant le jour, Emmi, qui s'était commandé à lui-même de ne pas dormir trop serré[10], s'éveilla et regarda autour de lui. La lune s'était levée tard et n'était pas couchée. Les oiseaux ne disaient rien encore. La chouette faisait sa ronde et n'était pas rentrée. Le silence est une belle chose, il est rare dans une forêt, où il y a toujours quelque être qui grimpe ou quelque chose qui tombe. Emmi but ce beau silence comme un rafraîchissement en se rappelant le vacarme étourdissant de la foire, le tam-tam et la grosse caisse des saltimbanques, les disputes des acheteurs et des vendeurs, le grincement des vielles et le mugissement des cornemuses, les cris des animaux ennuyés ou effrayés, les rauques chansons des buveurs, tout ce qui l'avait tour à tour étonné, amusé, épouvanté. Quelle différence avec les voix mystérieuses, discrètes ou imposantes de la forêt ! Une faible brise s'éleva avec l'aube et fit frissonner mélodieusement la cime des arbres. Celle du chêne semblait dire :

— Reste tranquille, Emmi ; sois tranquille et content, petit Emmi.

« Tous les arbres parlent », lui avait dit la Catiche.

— C'est vrai, pensait-il, ils ont tous leur voix et leur manière de gémir ou de chanter ; mais ils ne savent ce qu'ils disent, à ce que prétend cette sorcière. Elle ment : les arbres se plaignent ou se réjouissent innocemment. Elle ne peut pas les comprendre, elle qui ne pense qu'au mal!

Emmi fut aux coupes à l'heure dite et y travailla tout l'été et tout l'hiver suivant. Tous les samedis soir, il allait coucher dans son chêne. Le dimanche, il faisait une courte visite aux habitants de Cernas et revenait à son gîte jusqu'au lundi matin. Il grandissait et restait mince et léger, mais se tenait très proprement et avait une jolie petite mine éveillée et aimable qui plaisait à tout le monde. Le père Vincent lui apprenait à lire et à compter. On faisait cas de son esprit, et sa tante, qui n'avait pas d'enfants, eût souhaité le retenir auprès d'elle pour lui faire honneur et profit, car il était de bon conseil et paraissait s'entendre à tout.

Mais Emmi n'aimait que les bois. Il en était venu à y voir, à y entendre des choses que n'entendaient ni ne voyaient les autres. Dans les longues nuits d'hiver, il aimait surtout la région des pins, où la neige amoncelée dessinait, le long des rameaux noirs, de grandes belles formes blanches mollement couchées, qui, parfois balancées par la brise, semblaient se mouvoir et s'entretenir mystérieusement. Le plus souvent elles paraissaient dormir, et il les regardait avec un respect mêlé de frayeur. Il eût craint de dire un mot, de faire un mouvement qui eût réveillé ces belles fées de la nuit et du silence. Dans la demi-obscurité des nuits claires où les étoiles scintillaient comme des yeux de diamant en l'absence de la lune, il croyait saisir les formes de ces êtres fantastiques, les plis de leurs robes, les ondulations de leurs chevelures d'argent. Aux approches du dégel, elles changeaient d'aspect et d'attitude, et il les entendait tomber des branches avec un bruit frais et léger, comme si, en touchant la nappe neigeuse du sol, elles eussent pris un souple élan pour s'envoler ailleurs.

Quand la glace emprisonnait le petit ruisseau, il la cassait pour boire, mais avec précaution, pour ne pas abîmer l'édifice de cristal que formait sa petite chute. Il aimait à regarder le long des chemins de la forêt les girandoles du givre et les stalactites irisées par le soleil levant.

Il y avait des soirs où l'architecture transparente des arbres privés de feuilles se dessinait en dentelle noire sur le ciel rouge ou sur le fond nacré des nuages éclairés par la lune. Et, l'été, quelles chaudes rumeurs, quels concerts d'oiseaux sous le feuillage ! Il faisait la guerre aux rongeurs et aux fureteurs friands des œufs ou des petits dans les nids. Il s'était fabriqué un arc et des flèches et s'était rendu très adroit à tuer les rats et les vipères. Il épargnait les belles couleuvres inoffensives qui serpentent avec tant de grâce sur la mousse, et les charmants

59

écureuils, qui ne vivent que des amandes du pin, si adroitement extraites par eux de leur cônes.

Il avait si bien protégé les nombreux habitants de son vieux chêne que tous le connaissaient et le laissaient circuler au milieu d'eux. Il s'imaginait comprendre le rossignol le remerciant d'avoir sauvé sa nichée et disant tout exprès pour lui ses plus beaux airs. Il ne permettait pas aux fourmis de s'établir dans son voisinage ; mais il laissait le pivert travailler dans le bois pour en retirer les insectes rongeurs qui le détériorent. Il chassait les chenilles du feuillage. Les hannetons voraces ne trouvaient pas grâce devant lui. Tous les dimanches, il faisait à son cher arbre une toilette complète, et en vérité jamais le chêne ne s'était si bien porté et n'avait étalé une si riche et si fraîche verdure. Emmi ramassait les glands les plus sains et allait les semer sur la lande voisine où il soignait leur première enfance en empêchant la bruyère et la cuscute de les étouffer.

Il avait pris les lièvres en amitié et n'en voulait plus détruire pour sa nourriture. De son arbre, il les voyait danser sur le serpolet, se coucher sur le flanc comme des chiens fatigués, et tout à coup, au bruit d'une feuille sèche qui se détache, bondir avec une grâce comique, et s'arrêter court, comme pour réfléchir après avoir cédé à la peur. Si, en se promenant par les chaudes journées, il se sentait le besoin de faire une sieste, il grimpait dans le premier arbre venu, et, choisissant son gîte, il entendait les ramiers le bercer de leurs grasseyements monotones et caressants ; mais il était délicat pour son coucher et ne dormait tout à fait bien que dans son chêne.

Il fallut pourtant quitter cette chère forêt quand la coupe fut terminée et enlevée. Emmi suivit le père Vincent, qui s'en allait à cinq lieues de là, du côté d'Oursines, pour entreprendre une autre coupe dans une autre propriété.

Depuis le jour de la foire, Emmi n'était pas retourné dans ce vilain endroit et n'avait pas aperçu la Catiche. Etait-elle morte, était-elle en prison ? Personne n'en savait rien. Beaucoup de mendiants disparaissent comme cela sans qu'on puisse dire ce qu'ils sont devenus. Personne ne les cherche ni ne les regrette.

Emmi était très bon. Il n'avait pas oublié le temps de solitude absolue où, la croyant idiote et misérable, il l'avait vue chaque semaine au pied de son chêne lui apportant le pain dont il était privé et lui faisant entendre le son de la voix humaine. Il confia au père Vincent le désir qu'il avait d'avoir de ses nouvelles, et ils s'arrêtèrent à Oursines pour en demander. C'était jour de fête dans cette cour des miracles[11]. On trinquait et on chantait en choquant les pots. Deux femmes décoiffées, et les cheveux au vent, se battaient devant une porte, les enfants barbotaient dans une mare infecte. Sitôt que les deux voyageurs parurent, les enfants s'envolèrent comme une bande de canards sauvages. Leur fuite avertit de proche en proche les habitants. Tout bruit cessa, et les portes se fermèrent. La volaille effarouchée se cacha dans les buissons.

— Puisque ces gens ne veulent pas qu'on voie leurs ébats, dit le père Vincent, et puisque tu connais le logis de la Catiche, allons-y tout droit.

Ils y frappèrent plusieurs fois sans qu'on leur répondît. Enfin une voix cassée cria d'entrer, et ils poussèrent la porte. La Catiche, pâle, maigre, effrayante, était assise sur une grande chaise auprès du feu, ses mains desséchées collées sur les genoux. En reconnaissant Emmi, elle eut une expression de joie.

— Enfin, dit-elle, te voilà, et je peux mourir tranquille !

Elle leur expliqua qu'elle était paralytique et que ses voisines venaient la lever le matin, la coucher le soir et la faire manger à ses heures.

— Je ne manque de rien, ajouta-t-elle, mais j'ai un grand souci. C'est mon pauvre argent qui est là, sous cette pierre où je pose mes pieds. Cet argent, je le destine à Emmi, qui est un bon cœur et qui m'a sauvée de la prison au moment où je voulais le vendre à de mauvaises gens ; mais, sitôt que je serai morte, mes voisines fouilleront partout et trouveront mon trésor : c'est cela qui m'empêche de dormir et de me faire soigner convenablement. Il faut prendre cet argent, Emmi, et l'emporter loin d'ici. Si je meurs, garde-le, je te le donne ; ne te l'avais-je pas promis ? Si je reviens à la santé, tu me le rapporteras ; tu es honnête, je te connais. Il sera toujours à toi, mais j'aurai le plaisir de le voir et de le compter jusqu'à ma dernière heure.

Emmi refusa d'abord. C'était de l'argent volé qui lui répugnait ; mais le père Vincent offrit à la Catiche de s'en charger pour le lui rendre à sa première réclamation, ou pour le placer au nom d'Emmi, si elle venait à mourir sans le réclamer. Le père Vincent était connu dans tout le pays pour un homme juste qui avait honnêtement amassé du bien, et la Catiche, qui rôdait partout et entendait tout, n'était pas sans savoir qu'on devait se fier à lui. Elle le pria de bien fermer les huisseries de sa cabane, puis de reculer sa chaise, car elle ne pouvait se mouvoir, et de soulever la pierre du foyer. Il y avait bien plus qu'elle n'avait montré la première fois à Emmi. Il y avait cinq bourses de peau et environ cinq mille francs en or. Elle ne voulut garder que trois cents francs en argent pour payer les soins de ses voisins et se faire enterrer.

Et, comme Emmi regardait ce trésor avec dédain :

— Tu sauras plus tard, lui dit la Catiche, que la misère est un méchant mal. Si je n'étais pas née dans ce mal, je n'aurais pas fait ce que j'ai fait.

— Si vous vous en repentez, lui dit le père Vincent, Dieu vous le pardonnera.

— Je m'en repens, répondit-elle, depuis que je suis paralytique, parce que je meurs dans l'ennui et la solitude. Mes voisins me déplaisent autant que je leur déplais. Je pense à cette heure que j'aurais mieux fait de vivre autrement.

Emmi lui promit de revenir la voir et suivit le père Vincent dans son nouveau travail. Il regretta bien un peu sa forêt de Cernas, mais il avait l'idée du devoir et fit le sien fidèlement. Au bout de huit jours, il retourna vers la Catiche. Il arriva comme on emportait sa bière sur une petite charrette traînée par un âne. Emmi la suivit jusqu'à la paroisse, qui était distante d'un quart de lieue, et assista à son enterrement. Au retour, il vit que tout chez elle était au pillage et qu'on se battait à qui aurait ses nippes. Il ne se repentit plus d'avoir soustrait à ces mauvaises gens le trésor de la vieille.

Quand il fut de retour à la coupe, le père Vincent lui dit :

— Tu es trop jeune pour avoir cet argent-là. Tu n'en saurais pas tirer parti, ou tu te laisserais voler. Si tu m'agrées pour tuteur, je le placerai pour le mieux, et je t'en servirai la rente jusqu'à ta majorité.

— Faites-en ce qu'il vous plaira, répondit Emmi ; je m'en rapporte à vous. Pourtant, si c'est de l'argent volé, comme la vieille s'en vantait, ne vaudrait-il pas mieux essayer de le rendre ?

— Le rendre à qui ? Ç'a été volé sou par sou, puisque cette femme obtenait la charité en trompant le monde et en chipant deçà et delà on ne sait à qui, des choses que nous ne savons pas, et que personne ne songe plus à réclamer. L'argent n'est pas coupable, la honte est pour ceux qui en font mauvais emploi. La Catiche était une champie[12], elle n'avait pas de famille, elle n'a pas laissé d'héritier ; elle te donne son bien, non pas pour te remercier d'avoir fait quelque chose de mal, mais au contraire parce que tu lui as pardonné celui qu'elle voulait te faire. J'estime donc que c'est pour toi un héritage bien acquis, et qu'en te le donnant cette vieille a fait la seule bonne action de sa vie. Je ne veux pas te cacher qu'avec le revenu que je te servirai, tu as le moyen de ne pas travailler beaucoup ; mais, si tu es, comme je le crois, un vrai bon sujet, tu continueras à travailler de tout ton cœur, comme si tu n'avais rien.

— Je ferai comme vous me conseillez, répondit Emmi. Je ne demande qu'à rester avec vous et à suivre vos commandements.

Le brave garçon n'eut point à se repentir de la confiance et de l'amitié qu'il sentait pour son maître. Celui-ci le regarda toujours comme son fils et le traita en bon père. Quand Emmi fut en âge d'homme, il épousa une des petites-filles du vieux bûcheron, et, comme il n'avait pas touché à son capital, que les intérêts de chaque année avaient grossi, il se trouva riche pour un paysan de ce temps-là. Sa femme était jolie, courageuse et bonne ; on faisait grand cas, dans tout le pays, de ce jeune ménage, et, comme Emmi avait acquis quelque savoir et montrait beaucoup d'intelligence dans sa partie, le propriétaire de la forêt de Cernas le choisit pour son garde général et lui fit bâtir une jolie maison dans le plus bel endroit de la vieille futaie, tout auprès du chêne parlant.

La prédiction du père Vincent s'était facilement réalisée. Emmi était devenu trop grand pour occuper son ancien gîte, et le chêne avait refait tant d'écorce, que la logette s'était presque refermée. Quand Emmi, devenu vieux, vit que la fente allait bientôt se fermer tout à fait, il écrivit avec une pointe d'acier, sur une plaque de cuivre, son nom, la date de son séjour dans l'arbre et les principales circonstances de son histoire, avec cette prière à la fin : « Feu du ciel et vent de la montagne, épargnez mon ami le vieux chêne. Faites qu'il voie encore grandir mes petits-enfants et leurs descendants aussi. Vieux chêne qui m'as parlé, dis-leur aussi quelquefois une bonne parole pour qu'ils t'aiment toujours comme je t'ai aimé ».

Emmi jeta cette plaque écrite dans le creux où il avait longtemps dormi et songé.

La fente s'est refermée tout à fait. Emmi a fini de vivre, et l'arbre vit toujours. Il ne parle plus, ou, s'il parle, il n'y a plus d'oreilles capables de le comprendre. On n'a plus peur de lui, mais l'histoire d'Emmi s'est répandue, et, grâce au bon souvenir que l'homme a laissé, le chêne est toujours respecté et béni.

Le Chien et la fleur sacrée

PREMIERE PARTIE

LE CHIEN[a]

A Gabrielle Sand[1]

Nous avions jadis pour voisin de campagne un homme dont le nom prêtait souvent à rire : il s'appelait M. Lechien. Il en plaisantait le premier et ne paraissait nullement contrarié quand les enfants l'appelaient Médor ou Azor[b].

C'était un homme très bon, très doux, un peu froid de manières, mais très estimé pour la droiture et l'aménité de son caractère. Rien en lui, hormis son nom, ne paraissait bizarre : aussi nous étonna-t-il beaucoup, un jour où son chien avait fait une sottise au milieu du dîner. Au lieu de le gronder ou de le battre, il lui adressa, d'un ton froid et en le regardant fixement, cette étrange mercuriale :

— Si vous agissez ainsi, monsieur, il se passera du temps avant que vous cessiez d'être chien. Je l'ai été, moi qui vous parle, et il m'est arrivé quelquefois d'être entraîné par la gourmandise, au point de m'emparer d'un mets qui ne m'était pas destiné ; mais je n'avais pas comme vous l'âge de raison, et d'ailleurs sachez, monsieur, que je n'ai jamais cassé l'assiette.

Le chien écouta ce discours avec une attention soumise ; puis il fit entendre un bâillement mélancolique, ce qui, au dire de son maître, n'est pas un signe d'ennui, mais de tristesse chez les chiens ; après quoi, il se coucha, le museau allongé sur ses pattes de devant, et parut plongé dans de pénibles réflexions.

Nous crûmes d'abord que, faisant allusion à son nom, notre voisin avait voulu montrer simplement de l'esprit pour nous divertir ; mais son air grave et convaincu nous jeta dans la stupeur lorsqu'il nous demanda si nous n'avions aucun souvenir de nos existences antérieures.

— Aucun ! fut la réponse générale.

M. Lechien ayant fait du regard le tour de la table, et, nous voyant tous incrédules, s'avisa de regarder un domestique qui venait d'entrer pour remettre une lettre et qui n'était nullement au courant de la conversation.

— Et vous, Sylvain[2], lui dit-il, vous souvenez-vous de ce que vous avez été avant d'être homme ?

Sylvain était un esprit railleur et sceptique.

— Monsieur, répondit-il sans se déconcerter, depuis que je suis homme j'ai toujours été cocher : il est bien probable qu'avant d'être cocher, j'ai été cheval !

— Bien répondu ! s'écria-t-on.

Et Sylvain se retira aux applaudissements des joyeux convives.

— Cet homme a du sens et de l'esprit, reprit notre voisin ; il est bien probable, pour parler comme lui, que, dans sa prochaine existence, il ne sera plus cocher, il deviendra maître.

— Et il battra ses gens, répondit un de nous, comme, étant cocher, il aura battu ses chevaux.

— Je gage tout ce que vous voudrez, repartit notre ami, que Sylvain ne bat jamais ses chevaux, de même que je ne bats jamais mon chien. Si Sylvain était brutal et cruel, il ne serait pas devenu bon cocher et ne serait pas destiné à devenir maître. Si je battais mon chien, je prendrais le chemin de redevenir chien après ma mort.

On trouva la théorie ingénieuse, et on pressa le voisin de la développer.

— C'est bien simple, reprit-il, et je le dirai en peu de mots. L'esprit, la vie de l'esprit, si vous voulez, a ses lois comme la matière organique qu'il revêt a les siennes. On prétend que l'esprit et le corps ont souvent des tendances opposées ; je le nie, du moins je prétends que ces tendances arrivent toujours, après un combat quelconque, à se mettre d'accord pour pousser l'animal qui est le théâtre de cette lutte à reculer ou à avancer dans l'échelle des êtres. Ce n'est pas l'un qui a vaincu l'autre. La vie animale n'est pas si pernicieuse que l'on croit. La vie intellectuelle n'est pas si indépendante que l'on dit. L'être est un ; chez lui, les besoins répondent aux aspirations, et réciproquement. Il y a une loi plus forte que ces deux lois, un troisième terme qui concilie l'antithèse établie dans la vie de l'individu ; c'est la loi de la vie générale, et cette loi divine, c'est la progression. Les pas en arrière confirment la vérité de la marche ascendante[a]. Tout être éprouve donc à son insu le besoin d'une transformation honorable, et mon chien, mon cheval, tous les animaux que l'homme a associés de près à sa vie[b] l'éprouvent plus sciemment que les bêtes qui vivent en liberté. Voyez le chien ! cela est plus sensible chez lui que chez tous les autres animaux. Il cherche sans cesse à s'identifier à moi ; il aime ma cuisine[c], mon fauteuil, mes amis, ma voiture. Il se coucherait dans mon lit, si je le lui permettais ; il entend ma voix, il la connaît, il comprend ma parole. En ce moment, il sait parfaitement que je parle de lui. Vous pouvez observer le mouvement de ses oreilles.

— Il ne comprend que deux ou trois mots, lui dis-je ; quand vous prononcez le mot chien, il tressaille, c'est vrai, mais le développement de votre idée reste pour lui un mystère impénétrable.

— Pas tant que vous croyez ! Il sait qu'il en est cause, il se souvient d'avoir commis une faute, et à chaque instant il me demande du regard si je compte le punir ou l'absoudre. Il a l'intelligence d'un enfant qui ne parle pas encore.

— Il vous plaît de supposer tout cela, parce que vous avez de l'imagination.

— Ce n'est pas de l'imagination que j'ai, c'est de la mémoire.

— Ah ! voilà ! s'écria-t-on autour de nous. Il prétend se souvenir ! Alors qu'il raconte ses existences antérieures, vite ! nous écoutons.

— Ce serait, répondit M. Lechien, une interminable histoire, et des plus confuses, car je n'ai pas la prétention de me souvenir de tout, du commencement du monde jusqu'à aujourd'hui. La mort a cela d'excellent qu'elle brise le lien entre l'existence qui finit et celle qui lui succède. Elle étend un nuage épais où le *moi* s'évanouit pour se transformer sans que nous ayons conscience de l'opération. Moi qui, par exception, à ce qu'il paraît, ai conservé un peu la mémoire du passé, je n'ai pas de notions assez nettes pour mettre de l'ordre dans mes souvenirs. Je ne saurais vous dire si j'ai suivi l'échelle de progression régulièrement, sans franchir quelques degrés, ni si j'ai recommencé plusieurs fois les diverses stations de ma métempsycose. Cela, vraiment, je ne le sais pas ; mais j'ai dans l'esprit des images vives et soudaines qui me font apparaître certains milieux traversés par moi à une époque qu'il m'est impossible de déterminer, et alors je retrouve les émotions et les sensations que j'ai éprouvées dans ce temps-là. Par exemple, je me retrace depuis peu une certaine rivière où j'ai été poisson. Quel poisson ? Je ne sais pas ! Une truite peut-être, car je me rappelle mon horreur pour les eaux troubles et mon ardeur incessante à remonter les courants. Je ressens encore l'impression délicieuse du soleil traçant des filets déliés ou des arabesques de diamants mobiles sur les flots brisés[a]. Il y avait... je ne sais où ! — les choses alors n'avaient pas de nom pour moi, — une cascade charmante où la lune se jouait en fusées d'argent. Je passais là des heures entières à lutter contre le flot qui me repoussait. Le jour, il y avait sur le rivage des mouches d'or et d'émeraude qui voltigeaient sur les herbes et que je saisissais avec une merveilleuse adresse, me faisant de cette chasse un jeu folâtre plutôt qu'une satisfaction de voracité. Quelquefois les demoiselles[3] aux ailes bleues m'effleuraient de leur vol. Des plantes admirables semblaient vouloir m'enlacer dans leurs vertes chevelures ; mais la passion du mouvement et de la liberté me reportait toujours vers les eaux libres et rapides. Agir, nager, vite, toujours plus vite, et sans jamais me reposer, ah ! c'était une ivresse ! Je me suis rappelé ce bon temps l'autre jour en me baignant dans votre rivière, et à présent je ne l'oublierai plus !

— Encore, encore ! s'écrièrent les enfants, qui écoutaient de toutes leurs oreilles. Avez-vous été grenouille, lézard, papillon ?

— Lézard, je ne sais pas, grenouille probablement ; mais papillon, je m'en souviens à merveille. J'étais fleur, une jolie fleur blanche[b] délicatement découpée, probablement une sorte de saxifrage sarmenteuse[c] pendant sur le bord d'une source, et j'avais toujours soif, toujours soif. Je me penchais sur l'eau sans pouvoir l'atteindre, un vent frais me secouait sans cesse. Le désir est une puissance dont on ne connaît pas la limite. Un matin, je me détachai de ma tige, je flottai soutenue par la brise. J'avais des ailes, j'étais libre et vivant. Les papillons ne sont que des fleurs envolées un jour de fête où la nature était en veine d'invention et de fécondité.

— Très joli, lui dis-je, mais c'est de la poésie !

— Ne l'empêchez pas d'en faire, s'écrièrent les jeunes gens ; il nous amuse !

Et, s'adressant à lui :

— Pouvez-vous dire à quoi vous songiez quand vous étiez une pierre ?

— Une pierre est une chose et ne pense pas, répondit-il ; je ne me rappelle pas mon existence minérale ; pourtant, je l'ai subie comme vous tous et il ne faudrait pas croire que la vie inorganique soit tout à fait inerte. Je ne m'étends jamais sur une roche sans ressentir à son contact quelque chose de particulier qui m'affirme les antiques rapports que j'ai dû avoir avec elle. Toute chose est un élément de transformation. La plus grossière a encore sa vitalité latente dont les sourdes pulsations appellent la lumière et le mouvement[a] : l'homme désire, l'animal et la plante aspirent, le minéral attend. Mais, pour me soustraire aux questions embarrassantes que vous m'adressez, je vais choisir une de mes existences que je me retrace le mieux, et vous dire comment j'ai vécu, c'est-à-dire agi et pensé la dernière fois que j'ai été chien. Ne vous attendez pas à des aventures dramatiques, à des sauvetages miraculeux ; chaque animal a son caractère personnel. C'est une étude de caractère que je vais vous communiquer.

On apporta les flambeaux, on renvoya les domestiques, on fit silence, et l'étrange narrateur parla ainsi :

— J'étais un joli petit bouledogue, un ratier de pure race. Je ne me rappelle ni ma mère, dont je fus séparé très jeune, ni la cruelle opération qui trancha ma queue et effila mes oreilles. On me trouva beau ainsi mutilé, et de bonne heure j'aimai les compliments. Du plus loin que je me souvienne, j'ai compris le sens des mots *beau chien, joli chien* ; j'aimais aussi le mot *blanc*. Quand les enfants, pour me faire fête, m'appelaient *lapin blanc*, j'étais enchanté. J'aimais à prendre des bains ; mais, comme je rencontrais souvent des eaux bourbeuses où la chaleur me portait à me plonger, j'en sortais tout terreux, et on m'appelait *lapin jaune* ou *lapin noir*, ce qui m'humiliait beaucoup. Le déplaisir que j'en éprouvai[b] mainte fois m'amena à faire une distinction assez juste des couleurs.

« La première personne qui s'occupa de mon éducation morale fut une vieille dame qui avait ses idées. Elle ne tenait pas à ce que je fusse ce qu'on appelle dressé. Elle n'exigea pas que j'eusse le talent de rapporter et de donner la patte. Elle disait qu'un chien n'apprenait pas ces choses sans être battu. Je comprenais très bien ce mot-là, car le domestique me battait quelquefois à l'insu de sa maîtresse. J'appris donc de bonne heure que j'étais protégé, et qu'en me réfugiant auprès d'elle, je n'aurais jamais que des caresses et des encouragements. J'étais jeune et j'étais fou. J'aimais à tirer à moi et à ronger les bâtons. C'est une rage que j'ai conservée pendant toute ma vie de chien et qui tenait à ma race, à la force de ma mâchoire et à l'ouverture énorme de ma gueule. Evidemment la nature avait fait de moi un dévorant. Instruit à respecter les poules et les canards, j'avais besoin de me battre avec quelque chose et de dépenser la force de mon organisme. Enfant comme je l'étais, je faisais grand mal dans le petit jardin de la vieille dame ; j'arrachais les tuteurs des plantes et souvent la plante avec. Le jardinier voulait me corriger, ma maîtresse l'en empêchait, et, me prenant à part, elle me parlait très sérieusement. Elle me répétait à plusieurs reprises, en me tenant la tête et en me regardant bien dans les yeux :

« — Ce que vous avez fait est mal, très mal, on ne peut plus mal !

« Alors, elle plaçait un bâton devant moi et me défendait d'y toucher. Quand j'avais obéi, elle disait :

« — C'est bien, très bien, vous êtes un bon chien.

« Il n'en fallut pas davantage pour faire éclore en moi ce trésor inappréciable de la conscience que l'éducation communique au chien quand il est bien doué et qu'on ne l'a pas dégradé par les coups et les injures.

« J'acquis donc ainsi très jeune le sentiment de la dignité, sans lequel la véritable intelligence ne se révèle ni à l'animal, ni à l'homme. Celui qui n'obéit qu'à la crainte ne saura jamais se commander à lui-même.

« J'avais dix-huit mois, et j'étais dans toute la fleur de la jeunesse et de ma beauté, quand ma maîtresse changea de résidence et m'amena à la campagne qu'elle devait désormais habiter avec sa famille. Il y avait un grand parc, et je connus les ivresses de la liberté. Dès que je vis le fils de la vieille dame, je compris, à la manière dont ils s'embrassèrent et à l'accueil qu'il me fit, que c'était là le maître de la maison, et que je devais me mettre à ses ordres. Dès le premier jour, j'emboîtai le pas derrière lui d'un air si raisonnable et si convaincu, qu'il me prit en amitié, me caressa et me fit coucher dans son cabinet. Sa jeune femme n'aimait pas beaucoup les chiens et se fût volontiers passée de moi ; mais j'obtins grâce devant elle par ma sobriété, ma discrétion et ma propreté. On pouvait me laisser seul en compagnie des plats les plus alléchants ; il m'arriva bien rarement d'y goûter du bout de la langue. Outre que je n'étais pas gourmand et n'aimais pas les friandises, j'avais un grand respect de la propropriété. On m'avait dit, car on me parlait comme à une personne :

« — Voici ton assiette, ton écuelle à eau, ton coussin et ton tapis.

« Je savais que ces choses étaient à moi, et il n'eût pas fait bon me les disputer ; mais jamais je ne songeai à empiéter sur le bien des autres.

« J'avais aussi une qualité qu'on appréciait beaucoup. Jamais je ne mangeai de ces immondices dont presque tous les chiens sont friands, et je ne me roulais jamais dessus[a]. Si, pour avoir couché sur le charbon ou m'être roulé sur la terre, j'avais noirci ou jauni ma robe blanche, on pouvait être sûr que je ne m'étais souillé à aucune chose malpropre.

« Je montrai aussi une qualité dont on me tint compte. Je n'aboyai jamais et ne mordis jamais personne. L'aboiement est une menace et une injure. J'étais trop intelligent pour ne pas comprendre que les personnes saluées et accueillies par mes maîtres devaient être reçues poliment par moi, et, quant aux démonstrations de tendresse et de joie qui signalaient le retour d'un ancien ami, j'y étais fort attentif. Dès lors, je lui témoignais ma sympathie par des caresses. Je faisais mieux encore, je guettais le réveil de ces hôtes aimés, pour leur faire les honneurs de la maison et du jardin. Je les promenais ainsi avec courtoisie jusqu'à ce que mes maîtres vinssent me remplacer. On me sut toujours gré de cette notion d'hospitalité que personne n'eût songé à m'enseigner et que je trouvai tout seul.

« Quand il y eut des enfants dans la maison, je fus véritablement heureux. A la première naissance, on fut un peu inquiet de la curiosité avec laquelle je flairais le bébé. J'étais encore impétueux et brusque, on craignait que je ne fusse brutal

73

ou jaloux. Alors, ma vieille maîtresse prit l'enfant sur ses genoux en disant :

« — Il faut faire la morale à Fadet[4] ; ne craignez rien, il comprend ce qu'on lui dit. — Voyez, me dit-elle, voyez ce cher poupon, c'est ce qu'il y a de plus précieux dans la maison. Aimez-le bien, touchez-y doucement, ayez-en le plus grand soin. Vous m'entendez bien, Fadet, n'est-ce pas ? Vous aimerez ce cher enfant.

« Et, devant moi, elle le baisa et le serra doucement contre son cœur.

« J'avais parfaitement compris. Je demandai par mes regards et mes manières à baiser aussi cette chère créature. La grand-mère approcha de moi sa petite main en me disant encore :

« — Bien doucement, Fadet, bien doucement !

« Je léchai la petite main et trouvai l'enfant si joli, que je ne pus me défendre d'effleurer sa joue rose avec ma langue, mais ce fut si délicatement qu'il n'eut pas peur de moi, et c'est moi qui, un peu plus tard, obtins son premier sourire.

« Un autre enfant vint deux ans après, c'étaient alors deux petites filles. L'aînée me chérissait déjà. La seconde fit de même, et on me permettait de me rouler avec elle sur les tapis. Les parents craignaient un peu ma pétulance, mais la grand'mère m'honorait d'une confiance que j'avais à cœur de mériter. Elle me répétait de temps en temps :

« — Bien doucement, Fadet, bien doucement!

« Aussi n'eut-on jamais le moindre reproche à m'adresser. Jamais, dans mes plus grandes gaietés, je ne mordillai leurs mains jusqu'à les rougir, jamais je ne déchirai leurs robes, jamais je ne leur mis mes pattes dans la figure. Et pourtant Dieu sait que, dans leur jeune âge, elles abusèrent souvent de ma bonté, jusqu'à me faire souffrir. Je compris qu'elles ne savaient ce qu'elles faisaient, et ne me fâchai jamais. Elles imaginèrent un jour de m'atteler à leur petite voiture de jardinage et d'y mettre leurs poupées ! Je me laissai harnacher et atteler, Dieu sait comme, et je traînai raisonnablement la voiture et les poupées aussi longtemps qu'on voulut. J'avoue qu'il y avait un peu de vanité dans mon fait parce que les domestiques[a] étaient émerveillés de ma docilité.

« — Ce n'est pas un chien, disaient-ils, c'est un cheval!

« Et toute la journée les petites filles m'appelèrent cheval blanc, ce qui, je dois le confesser, me flatta infiniment.

« On me sut d'autant plus de gré de ma raison et de ma douceur avec les enfants que je ne supportais ni injures ni menaces de la part des autres. Quelque amitié que j'eusse pour mon maître, je lui prouvai une fois combien j'avais à cœur de conserver ma dignité. J'avais commis une faute contre la propreté par paresse de sortir, et il me menaça de son fouet. Je me révoltai et m'élançai au-devant des coups en montrant les dents. Il était philosophe, il n'insista pas pour me punir, et, comme quelqu'un lui disait qu'il n'eût pas dû me pardonner cette révolte, qu'un chien rebelle doit être roué de coups, il répondit :

« — Non ! je le connais, il est intrépide et entêté au combat, il ne cèderait pas ; je serais forcé de le tuer, et le plus puni serait moi.

« Il me pardonna donc, et je l'en aimai d'autant plus.

« J'ai passé une vie bien douce et bien heureuse dans cette maison bénie. Tous m'aimaient, les serviteurs étaient doux et pleins d'égards pour moi ; les enfants, devenus grands, m'adoraient et me disaient les choses les plus tendres et les plus flatteuses ; mes maîtres avaient réellement de l'estime pour mon caractère et déclaraient que mon affection n'avait jamais eu pour mobile la gourmandise ni aucune passion basse. J'aimais leur société, et, devenu vieux, moins démonstratif par conséquent, je leur témoignais mon amitié en dormant à leurs pieds ou à leur porte[a] quand ils avaient oublié de me l'ouvrir. J'étais d'une discrétion et d'un savoir-vivre irréprochables[b], bien que très indépendant et nullement surveillé. Jamais je ne grattai à une porte, jamais je ne fis entendre de gémissements importuns. Quand je sentis les premiers rhumatismes, on me traita comme une personne. Chaque soir, mon maître m'enveloppait dans mon tapis ; s'il tardait un peu à y songer, je me plantais près de lui en le regardant, mais sans le tirailler ni l'ennuyer de mes obsessions.

« La seule chose que j'aie à me reprocher dans mon existence canine, c'est mon peu de bienveillance pour les autres chiens. Etait-ce pressentiment de ma prochaine séparation d'espèce, était-ce crainte de retarder ma promotion à un grade plus élevé, qui me faisait haïr leurs grossièretés et leurs vices ? Redoutais-je de redevenir trop chien dans leur société, avais-je l'orgueil du mépris pour leur infériorité intellectuelle et morale ? Je les ai réellement houspillés toute ma vie, et on déclara souvent que j'étais terriblement méchant avec mes semblables. Pourtant je dois dire à ma décharge que je ne fis jamais de mal aux faibles et aux petits. Je m'attaquais aux plus gros et aux plus forts avec une audace héroïque. Je revenais harassé, couvert de blessures, et, à peine guéri, je recommençais.

« J'étais ainsi avec ceux qui ne m'étaient pas présentés.

« Quand un ami de la maison amenait son chien, on me faisait un discours sérieux en m'engageant à la politesse et en me rappelant les devoirs de l'hospitalité. On me disait son nom, on approchait sa figure de la mienne[a]. On apaisait mes premiers grognements avec de bonnes paroles qui me rappelaient au respect de moi-même. Alors, c'était fini pour toujours, il n'y avait plus de querelles, ni même de provocations ; mais je dois dire que, sauf *Moutonne,* la chienne du berger, pour laquelle j'eus toujours une grande amitié et qui me défendait contre les chiens ameutés contre moi, je ne me liai jamais avec aucun animal de mon espèce. Je les trouvais tous trop inférieurs à moi, même les beaux chiens de chasse et les petits chiens savants qui avaient été forcés par les châtiments à maîtriser leurs instincts. Moi qu'on avait toujours raisonné avec douceur, si j'étais, comme eux, esclave de mes passions à certains égards où je n'avais à risquer que moi-même, j'étais obéissant et sociable avec l'homme, parce qu'il me plaisait d'être ainsi et que j'eusse rougi d'être autrement.

« Une seule fois je parus ingrat, et j'éprouvai un grand chagrin. Une maladie épidémique ravageait le pays, toute la famille partit emmenant les enfants[5], et, comme on craignait mes larmes, on ne m'avertit de rien. Un matin, je me trouvai seul avec le domestique, qui prit grand soin de moi, mais qui, préoccupé pour lui-même, ne s'efforça pas de me consoler, ou ne sut pas s'y prendre. Je tombai dans le désespoir, cette maison déserte par un froid rigoureux était pour moi comme un tombeau. Je n'ai jamais été gros mangeur, mais je perdis complètement l'appétit et je devins si maigre que l'on eût pu voir à travers mes côtes. Enfin, après un temps qui me parut bien long, ma vieille maîtresse revint pour préparer le retour de la famille, et je ne compris pas pourquoi elle revenait seule ; je crus que son fils et les enfants ne reviendraient jamais, et je n'eus pas le courage de lui faire la moindre caresse. Elle fit allumer du feu dans sa chambre et m'appela en m'invitant à me chauffer ; puis elle se mit à écrire pour donner des ordres et j'entendis qu'elle disait en parlant de moi :

« Vous ne l'avez donc pas nourri ? Il est d'une maigreur effrayante ; allez me chercher du pain et de la soupe.

« Mais je refusai de manger. Le domestique parla de mon chagrin. Elle me caressa beaucoup et ne put me consoler, elle eût dû me dire que les enfants se portaient bien et allaient revenir avec leur père. Elle n'y songea pas, et s'éloigna en se plaignant de ma froideur, qu'elle n'avait pas comprise. Elle me rendit pourtant son estime quelques jours après, lorsqu'elle revint avec la famille. Les tendresses que je fis aux enfants surtout lui prouvèrent bien que j'avais le cœur fidèle et sensible.

« Sur mes vieux jours, un rayon de soleil embellit ma vie. On amena dans la maison la petite chienne Lisette, que les enfants se disputèrent d'abord, mais que l'aînée céda à sa sœur en disant qu'elle préférait un vieux ami comme moi à toutes les nouvelles connaissances. Lisette fut aimable avec moi, et sa folâtre enfance égaya mon hiver. Elle était nerveuse et tyrannique, elle me mordait cruellement les oreilles. Je criais et ne me fâchais pas, elle était si gracieuse dans ses impétueux ébats ! Elle me forçait à courir et à bondir avec elle. Mais ma grande affection était, en somme, pour la petite fille qui me préférait à Lisette et qui me parlait raison, sentiment et moralité, comme avait fait sa grand'mère.

« Je n'ai pas souvenir de mes dernières années et de ma mort. Je crois que je m'éteignis doucement au milieu des soins et des encouragements. On avait certainement compris[a] que je méritais d'être homme, puisqu'on avait toujours dit qu'il ne me manquait que la parole. J'ignore pourtant si mon esprit franchit d'emblée cet abîme. J'ignore la forme et l'époque de ma renaissance ; je crois pourtant que je n'ai pas recommencé l'existence canine, car celle que je viens de vous raconter me paraît dater d'hier. Les costumes, les habitudes, les idées que je vois aujourd'hui ne diffèrent pas essentiellement de ce que j'ai vu et observé étant chien... »

Le sérieux avec lequel notre voisin avait parlé nous avait forcés de l'écouter avec attention et déférence. Il nous avait étonnés et intéressés. Nous le priâmes de nous raconter quelque autre de ses existences.

— C'est assez pour aujourd'hui, nous dit-il ; je tâcherai de rassembler mes souvenirs, et peut-être plus tard vous ferai-je le récit d'une autre phase de ma vie antérieure.

DEUXIEME PARTIE

LA FLEUR SACRÉE

A Aurore Sand[a]

Quelques jours après que M. Lechien nous eut raconté
son histoire, nous nous retrouvions avec lui chez un Anglais
riche qui avait beaucoup voyagé en Asie, et qui parlait volontiers des choses intéressantes et curieuses qu'il avait vues.

Comme il nous disait la manière dont on chasse les éléphants dans le Laos[b], M. Lechien lui demanda s'il n'avait
jamais tué lui-même un de ces animaux.

— Jamais ! répondit sir William[c]. Je ne me le serais point
pardonné. L'éléphant m'a toujours paru si près de l'homme
par l'intelligence et le raisonnement que j'aurais craint d'inter-
rompre la carrière d'une âme[d] en voie de transformation.

— Au fait, lui dit quelqu'un, vous avez longtemps vécu
dans l'Inde, vous devez partager les idées de migration des âmes

que monsieur nous exposait l'autre jour d'une manière plus ingénieuse que scientifique.

— La science est la science, répondit l'Anglais. Je la respecte infiniment, mais je crois que, quand elle veut trancher affirmativement ou négativement la question des âmes, elle sort de son domaine et ne peut rien prouver. Ce domaine est l'examen des faits palpables, d'où elle conclut à des lois existantes[a]. Au-delà, elle n'a plus de certitude. Le foyer d'émission de ces lois[b] échappe à ses investigations, et je trouve qu'il est également contraire à la vraie doctrine scientifique de vouloir prouver *l'existence* ou la *non-existence* d'un principe quelconque[c]. En dehors de sa démonstration spéciale, le savant est libre de croire ou de ne pas croire ; mais la recherche de ce principe appartient mieux aux hommes de logique, de sentiment et d'imagination. Les raisonnements et les hypothèses de ceux-ci n'ont, il est vrai, de valeur qu'autant qu'ils respectent ce que la science a vérifié dans l'ordre des faits ; mais là où la science est impuissante à nous éclairer, nous sommes tous libres de donner aux faits ce que vous appelez une interprétation ingénieuse, ce qui, selon moi, signifie une explication idéaliste fondée sur la déduction, la logique et le sentiment du juste dans l'équilibre et l'ordonnance[d] de l'univers.

— Ainsi, reprit celui qui avait interpellé sir William, vous êtes boudhiste ?[e]

— D'une certaine façon, répondit l'Anglais ; mais nous pourrions trouver un sujet de conversation plus récréatif pour les enfants qui nous écoutent.

— Moi, dit une des petites filles, cela m'intéresse et me plaît. Pourriez-vous me dire ce que j'ai été avant d'être une petite fille ?

— Vous avez été un petit ange, répondit sir William.

— Pas de compliments! reprit l'enfant. Je crois que j'ai été tout bonnement un oiseau, car il me semble que je regrette toujours le temps où je volais sur les arbres et ne faisais que ce que je voulais.

— Eh bien, reprit sir William, ce regret serait une preuve de souvenir. Chacun de nous a une préférence pour un animal quelconque et se sent porté à s'identifier à ses impressions comme s'il les avait déjà ressenties pour son propre compte.

— Quel est votre animal de prédilection ? lui demandai-je.

— Tant que j'ai été Anglais, répondit-il, j'ai mis le cheval au premier rang[f]. Quand je suis devenu Indien, j'ai mis l'éléphant au-dessus de tout.

— Mais, dit un jeune garçon, est-ce que l'éléphant n'est pas très laid ?

— Oui, selon nos idées sur l'esthétique. Nous prenons pour type du quadrupède le cheval ou le cerf[a], nous aimons l'harmonie dans la proportion, parce qu'au fond nous avons toujours dans l'esprit le type humain comme type suprême de cette harmonie ; mais, quand on quitte les régions tempérées et qu'on se trouve en face d'une nature exubérante, le goût change, les yeux s'attachent à d'autres lignes, l'esprit se reporte à un ordre de création antérieur plus grandiose, et le côté fruste de cette création ne choque plus nos regards et nos pensées. L'Indien, noir, petit, grêle, ne donne pas l'idée d'un roi de la création. L'Anglais, rouge et massif, paraît là plus imposant que chez lui ; mais l'un et l'autre, qu'ils aient pour cadre une cabane de roseaux ou un palais de marbre[b], sont encore effacés comme de vulgaires détails dans l'ensemble du tableau[c] que présente la nature environnante. Le sens artiste[d] éprouve le besoin de formes supérieures à celles de l'homme, et il se sent pris de respect pour les êtres capables de se développer fièrement sous cet ardent soleil qui étiole la race humaine[e]. Là où les roches sont formidables, les végétaux effrayants d'aspect, les déserts inaccessibles, le pouvoir humain perd son prestige, et le monstre surgit à nos yeux comme la suprême combinaison harmonique d'un monde prodigieux. Les anciens habitants de cette terre redoutable l'avaient bien compris. Leur art consistait dans la reproduction idéalisée des formes monstrueuses. Le buste de l'éléphant était le couronnement[f] principal de leurs parthénons[6]. Leurs dieux étaient des monstres et des colosses. Leur architecture pesante, surmontée de tours d'une hauteur démesurée, semblait chercher le beau dans l'absence de ces proportions harmoniques qui ont été l'idéal des peuples de l'Occident. Ne vous étonnez donc pas de m'entendre dire qu'après avoir trouvé cet art barbare et ces types effrayants, je m'y suis habitué au point de les admirer et de trouver plus tard nos arts froids et nos types mesquins[g]. Et puis tout, dans l'Inde, concourt à idéaliser l'éléphant. Son culte est partout dans le passé, sous une forme ou sous une autre. Les reproductions de son type ont une variété d'intentions surprenante, car, selon la pensée de l'artiste, il représente la force menaçante ou la bénigne douceur de la divinité qu'il encadre. Je ne crois pas qu'il ait été jamais, quoi qu'en aient dit les anciens voyageurs[h], adoré personnellement comme un dieu ; mais il a été, il est encore regardé comme un symbole et un palladium[7]. L'éléphant blanc des temples de Siam est toujours considéré comme un animal sacré.

— Parlez-nous de cet éléphant blanc, s'écrièrent tous les enfants. Est-il vraiment blanc ? l'avez-vous vu ?

— Je l'ai vu, et, en le contemplant au milieu des fêtes

triomphales qu'il semblait présider, il m'est arrivé une chose singulière.

— Quoi? reprirent les enfants.

— Une chose que j'hésite à vous dire, —non pas que je craigne la raillerie en un sujet si grave, mais en vérité je crains de ne pas vous convaincre de ma sincérité et d'être accusé d'improviser un roman pour rivaliser avec l'édifiante et sérieuse histoire de M. Lechien.

— Dites toujours, dites toujours! Nous ne critiquerons pas, nous écouterons bien sagement.

— Eh bien, mes enfants, reprit l'Anglais, voici ce qui est arrivé. En contemplant la majesté de l'éléphant sacré marchant d'un pas mesuré au son des instruments et marquant le rythme avec sa trompe, tandis que les Indiens, qui semblaient être bien réellement les esclaves de ce monarque, balançaient au-dessus de sa tête des parasols rouge et or, j'ai fait un effort d'esprit pour saisir sa pensée dans son œil tranquille, et tout à coup il m'a semblé[a] qu'une série d'existences passées, insaisissables à la mémoire de l'homme, venait de rentrer dans la mienne.

— Comment! Vous croyez... ?

— Je crois que certains animaux nous semblent pensifs et absorbés parce qu'ils se souviennent. Où serait l'erreur de la Providence ?[b] L'homme oublie, parce qu'il a trop à faire pour que le souvenir lui soit bon. Il termine la série des animaux contemplatifs, il pense réellement et cesse de rêver. A peine né, il devient la proie de la loi du progrès, l'esclave de la loi du travail. Il faut qu'il rompe avec les images du passé pour se porter tout entier vers la conception de l'avenir. La loi qui lui a fait cette destinée ne serait pas juste, si elle ne lui retirait pas la faculté de regarder en arrière et de perdre son énergie dans de vains regrets et de stériles comparaisons.

— Quoi qu'il en soit, dit vivement M. Lechien, racontez vos souvenirs ; il m'importe beaucoup de savoir qu'une fois en votre vie vous avez éprouvé le phénomène que j'ai subi plusieurs fois.

— J'y consens, répondit sir William, car j'avoue que votre exemple et vos affirmations m'ébranlent et m'impressionnent beaucoup. Si c'est un simple rêve qui s'est emparé de moi pendant la cérémonie que présidait l'éléphant sacré, il a été si précis et si frappant, que je n'en ai pas oublié la moindre circonstance. Et moi aussi, j'avais été éléphant, éléphant blanc, qui plus est, éléphant sacré par conséquent, et je revoyais mon existence entière à partir de ma première enfance dans les jungles et les forêts de la presqu'île de Malacca.[8]

« C'est dans ce pays, alors si peu connu des Européens[c], que se reportent mes premiers souvenirs, à une époque qui doit remonter aux temps les plus florissants de l'établissement du bouddhisme, longtemps avant la domination européenne[9]. Je vivais dans ce désert étrange, dans cette *Chersonèse d'or* des anciens, une presqu'île de trois cent soixante lieues de longueur, large en moyenne de trente lieues. Ce n'est, à vrai dire, qu'une chaîne de montagnes projetée sur la mer et couronnée de forêts. Ces montagnes ne sont pas très hautes. La principale, le mont Ophir, n'égale pas le puy de Dôme[10] ; mais, par leur situation isolée entre deux mers, elles sont imposantes. Les versants sont parfois inaccessibles à l'homme. Les habitants des côtes, Malais et autres, y font pourtant aujourd'hui une guerre acharnée aux animaux sauvages, et vous avez à bas prix l'ivoire et les autres produits si facilement exportés de ces régions redoutables. Pourtant, l'homme n'y est pas encore partout le maître et il ne l'était pas du tout au temps dont je vous parle. Je grandissais heureux et libre sur les hauteurs, dans le sublime rayonnement d'un ciel ardent et pur, rafraîchi par l'élévation du sol et la brise de mer. Qu'elle était belle, cette mer de la Malaisie avec ses milliers d'îles vertes comme l'émeraude et d'écueils blancs comme l'albâtre, sur le bleu sombre des flots ! Quel horizon s'ouvrait à nos regards quand, du haut de nos sanctuaires de rochers, nous embrassions de tous côtés l'horizon sans limites ! Dans la saison des pluies, nous savourions, à l'abri des arbres géants, la chaude humidité du feuillage. C'était la saison douce où le recueillement de la nature[a] nous remplissait d'une sereine quiétude. Les plantes vigoureuses, à peine abattues par l'été torride, semblaient partager notre bien-être et se retremper à la source de la vie. Les belles lianes de diverses espèces poussaient leurs festons prodigieux et les enlaçaient aux branches des cinnamomes et des gardenias en fleurs. Nous dormions à l'ombre parfumée des mangliers[11], des bananiers, des baumiers et des cannelliers. Nous avions plus de plantes qu'il ne nous en fallait pour satisfaire notre vaste et frugal appétit. Nous méprisions les carnassiers perfides; nous ne permettions pas aux tigres d'approcher de nos pâturages. Les antilopes, les oryx, les singes recherchaient notre protection. Des oiseaux admirables venaient se poser sur nous par bandes pour nous aider à notre toilette[b]. Le *noctariam*, l'oiseau géant, peut-être disparu aujourd'hui, s'approchait de nous sans crainte pour partager nos récoltes.

« Nous vivions seuls, ma mère et moi, ne nous mêlant pas aux troupes nombreuses des éléphants vulgaires, plus petits et d'un pelage différent du nôtre. Etions-nous d'une race différente ? Je ne l'ai jamais su. L'éléphant blanc est si rare, qu'on le regarde comme une anomalie, et les Indiens le considèrent comme une incarnation divine. Quand un de ceux qui vivent

dans les temples d'une nation hindoue cesse de vivre, on lui
rend les mêmes honneurs funéraires qu'aux rois, et souvent de
longues années s'écoulent avant qu'on lui trouve un successeur.

« Notre haute taille effrayait-elle les autres éléphants ?
Nous étions de ceux qu'on appelle solitaires et qui ne font partie d'aucun troupeau sous les ordres d'un guide de leur espèce.
On ne nous disputait[a] aucune place, et nous nous transportions
d'une région à l'autre, changeant de climat sur cette arête de
montagnes, selon notre caprice et les besoins de notre nourriture. Nous préférions la sérénité des sommets ombragés aux
sombres embûches de la jungle peuplée de serpents monstrueux, hérissée de cactus et d'autres plantes épineuses où
vivent des insectes irritants. En cherchant la canne à sucre sous
des bambous d'une hauteur colossale, nous nous arrêtions
quelquefois pour jeter un coup d'œil sur les palétuviers des
rivages; mais ma mère, défiante[b], semblait deviner que nos
robes blanches pouvaient attirer le regard des hommes, et nous
retournions vite à la région des aréquiers et des cocotiers[c], ces
grandes vigies plantées au-dessus des jungles comme pour
balancer librement dans un air plus pur leurs éventails majestueux et leurs palmes[d] de cinq mètres de longueur.

« Ma noble mère me chérissait, me menait partout avec elle et ne vivait que pour moi. Elle m'enseignait à adorer le soleil et à m'agenouiller chaque matin à son apparition glorieuse, en relevant ma trompe blanche et satinée[a], comme pour saluer le père et le roi de la terre; en ces moments-là, l'aube pourprée teignait de rose mon fin pelage, et ma mère me regardait avec admiration. Nous n'avions que de hautes pensées, et notre cœur se dilatait dans la tendresse et l'innocence. Jours heureux, trop tôt envolés ! Un matin, la soif nous força de descendre le lit d'un des torrents qui, du haut de la montagne, vont en bonds rapides ou gracieux se déverser dans la mer; c'était vers la fin de la saison sèche[b]. La source qui filtre du sommet de l'Ophir ne distillait plus une seule goutte dans sa coupe de mousse. Il nous fallut gagner le pied de la jungle où le torrent avait formé une suite de petits lacs, pâles diamants semés dans la verdure glauque des nopals. Tout à coup nous sommes surpris par des cris étranges, et des êtres inconnus pour moi, des hommes et des chevaux se précipitent sur nous. Ces hommes bronzés qui ressemblaient à des singes ne me firent point peur, les animaux qu'ils montaient n'approchaient de nous qu'avec effroi. D'ailleurs, nous n'étions pas en danger de mort. Nos robes blanches inspiraient le respect, même à ces Malais farouches et cruels; sans doute ils voulaient nous capturer, mais ils n'osaient se servir de leurs armes. Ma mère les repoussa d'abord fièrement et sans colère, elle savait qu'ils ne pourraient pas la prendre; alors, ils jugèrent qu'en raison de mon jeune âge, ils pourraient facilement s'emparer de moi et ils essayèrent de jeter des lassos autour de mes jambes; ma mère se plaça entre eux et moi, et fit une défense désespérée. Les chasseurs, voyant qu'il fallait la tuer pour m'avoir, lui lancèrent une grêle de javelots qui s'enfoncèrent dans ses vastes flancs, et je vis avec horreur sa robe blanche se rayer de fleuves de sang.

« Je voulais la défendre et la venger, elle m'en empêcha, me tint de force derrière elle, et, présentant le flanc comme un rempart pour me couvrir, immobile de douleur et stoïquement muette pour faire croire que sa vie était à l'épreuve de ces flèches mortelles, elle resta là, criblée de traits, jusqu'à ce que, le cœur transpercé cessant de battre, elle s'affaissât comme une montagne. La terre résonna sous son poids. Les assassins s'élancèrent pour me garrotter, et je ne fis aucune résistance. Stupéfait devant le cadavre de ma mère, ne comprenant rien à la mort, je la caressais[c] en gémissant, en la suppliant de se relever et de fuir avec moi[d]. Elle ne respirait plus, mais des flots de larmes coulaient encore de ses yeux éteints. On me jeta une natte épaisse sur la tête, je ne vis plus rien, mes quatre jambes étaient prises dans quatre cordes de cuir d'élan[e]. Je ne voulais plus rien savoir, je ne me débattais pas, je pleurais, je sentais ma mère près de moi, je ne voulais pas m'éloigner d'elle, je me couchai. On m'emmena je ne sais comment et je ne sais où. Je crois qu'on attela tous les chevaux pour me traîner sur le sable[a] en pente du rivage jusqu'à une sorte de fosse où on me laissa seul.

« Je ne me rappelle pas combien de temps[b] je restai là, privé de nourriture, dévoré par la soif et par les mouches avides de mon sang. J'étais déjà fort, j'aurais pu démolir cette cave avec mes pieds de devant et me frayer un sentier, comme ma mère m'avait enseigné à le faire dans les versants rapides. Je fus longtemps sans m'en aviser. Sans connaître la mort, je haïssais l'existence et ne songeais pas à la conserver. Enfin, je cédai à l'instinct et je jetai des cris farouches. On m'apporta aussitôt des cannes à sucre[c] et de l'eau. Je vis des têtes inquiètes se pencher sur les bords du silo où j'étais enseveli. On parut se réjouir de me voir manger et boire; mais, dès que j'eus repris des forces, j'entrai en fureur et je remplis la terre et le ciel des éclats retentissants[d] de ma voix. Alors, on s'éloigna, me laissant démolir la berge verticale de ma prison, et je me crus en liberté; mais j'étais dans un parc formé de tiges de bambous monstrueux, reliés les uns aux autres par des lianes si bien serrées que je ne pus en ébranler un seul. Je passai encore plusieurs jours à essayer obstinément ce vain travail, auquel résistait le perfide et savant travail de l'homme. On m'apportait mes aliments et on me parlait avec douceur. Je n'écoutais rien, je voulais fondre sur mes adversaires, je frappais de mon front avec un bruit affreux les murailles de ma prison sans pouvoir les ébranler; mais, quand j'étais seul, je mangeais. La loi impérieuse de la vie l'emportait sur mon désespoir, et, le sommeil domptant mes forces, je dormais sur les herbes fraîches dont on avait jonché ma cage.

« Enfin, un jour, un petit homme noir, vêtu seulement d'un *sarong*[e] ou caleçon blanc, entra seul et résolument dans ma prison en portant une auge[f] de farine de riz salé et mélangé à un corps huileux[g]. Il me la présenta à genoux en me disant d'une voix douce des paroles où je distinguai je ne sais quelle intention affectueuse et caressante. Je le laissai me supplier jusqu'au moment où, vaincu par ses prières, je mangeai devant lui. Pendant que je savourais ce mets rafraîchissant, il m'éventait avec une feuille de palmier[h] et me chantait quelque chose de triste que j'écoutais avec étonnement. Il revint un peu plus tard et me joua sur une petite flûte de roseau[i] je ne sais quel air plaintif qui me fit comprendre la pitié que je lui inspirais. Je le laissai baiser[j] mon front et mes oreilles. Peu à peu, je lui permis de me laver, de me débarrasser des épines qui me gênaient et de s'asseoir entre mes jambes. Enfin, au bout d'un temps que je ne puis préciser, je sentis qu'il m'aimait et que je l'aimais aussi. Dès lors, je fus dompté, le passé s'effaça de ma mémoire, et je consentis à le suivre sur le rivage sans songer à m'échapper.

« Je vécus, je crois, deux ans seul avec lui[a]. Il avait pour moi des soins si tendres, qu'il remplaçait ma mère et que je ne pensai plus jamais à le quitter. Pourtant je ne lui appartenais pas. La tribu qui s'était emparée de moi devait se partager le prix qui serait offert par les plus riches radjahs de l'Inde dès qu'ils seraient informés de mon existence. On avait donc fait un arrangement pour tirer de moi le meilleur parti possible. La tribu avait envoyé des députés dans toutes les cours des deux péninsules pour me vendre au plus offrant, et, en attendant leur retour, j'étais confié à ce jeune homme, nommé Aor, qui était réputé le plus habile de tous dans l'art d'apprivoiser et de soigner les êtres de mon espèce. Il n'était pas chasseur, il n'avait pas aidé au meurtre de ma mère[b]. Je pouvais l'aimer sans remords.

« Bientôt je compris la parole humaine, qu'à toute heure il me faisait entendre. Je ne me rendais pas compte des mots, mais l'inflexion de chaque syllabe me révélait sa pensée aussi clairement que si j'eusse appris sa langue. Plus tard, je compris de même cette musique de la parole humaine en quelque langue qu'elle arrivât à mon oreille. Quand c'était de la musique chantée par la voix ou les instruments, je comprenais encore mieux.

« J'arrivai donc à savoir de mon ami que je devais me dérober aux regards des hommes parce que quiconque me verrait serait tenté de m'emmener pour me vendre après l'avoir tué. Nous habitions alors la province de Tenasserim, dans la partie la plus déserte des monts Moghs, en face de l'archipel de Merghi. Nous demeurions cachés tout le jour dans les rochers, et nous ne sortions que la nuit. Aor montait sur mon cou et me conduisait au bain sans crainte des alligators et des crocodiles, dont je savais le préserver en enterrant nonchalamment dans le sable leur tête, qui se brisait sous mon pied. Après le bain, nous errions dans les hautes forêts, où je choisissais les branches dont j'étais friand et où je cueillais pour Aor des fruits que je lui passais avec ma trompe. Je faisais aussi ma provision de verdure pour la journée. J'aimais surtout les écorces fraîches et j'avais une adresse merveilleuse pour les détacher de la tige jusqu'au plus petit brin; mais il me fallait du temps pour dépouiller ainsi le bois, et je m'approvisionnais de branches pour les loisirs de la journée, en prévision des heures où je ne dormais pas, heures assez courtes, je dois le dire; l'éléphant livré à lui-même est noctambule de préférence[c].

« Mon existence était douce et tout absorbée dans le présent, je ne me représentais pas l'avenir. Je commençai à réfléchir sur moi-même un jour que les hommes de la tribu amenèrent dans mon parc de bambous une troupe d'éléphants sauvages qu'ils avaient chassés aux flambeaux avec un grand bruit de tambours et de cymbales pour les forcer à se réfugier dans ce piège. On y avait amené d'avance des éléphants apprivoisés qui devaient aider les chasseurs à dompter les captifs, et qui les aidèrent en effet avec une intelligence extraordinaire à lier les quatre jambes l'une après l'autre; mais quelques mâles sauvages, les solitaires surtout, étaient si furieux, qu'on crut devoir m'adjoindre aux chasseurs pour en venir à bout. On força mon cher Aor à me monter, et il essaya d'obéir, bien qu'avec une vive répugnance. Je sentis alors le sentiment du juste se révéler à moi, et j'eus horreur de ce que l'on prétendait me faire faire. Ces éléphants sauvages étaient sinon mes égaux, du moins mes semblables; les éléphants soumis qui aidaient à consommer l'esclavage de leurs frères me parurent tout à fait inférieurs à eux et à moi. Saisi de mépris et d'indignation, je m'attaquai à eux seuls et me portai à la défense des prisonniers si énergiquement, que l'on dut renoncer à m'avilir. On me fit sortir du parc, et mon cher Aor me combla d'éloges et de caresses.

« Vous voyez bien, disait-il à ses compagnons, que celui-ci est un ange et un saint. Jamais éléphant blanc n'a été employé aux travaux grossiers ni aux actes de violence. Il n'est

fait ni pour la chasse, ni pour la guerre, ni pour porter des far-
deaux, ni pour servir de monture dans les voyages. Les rois eux-
mêmes ne se permettent pas de s'asseoir sur lui, et vous voulez
qu'il s'abaisse à vous aider au domptage ? Non, vous ne com-
prenez pas sa grandeur et vous outragez son rang ! Ce que vous
avez tenté de faire attirera sur vous la puissance des mauvais
esprits.

« Et, comme on remontrait à mon ami qu'il avait lui-
même travaillé à me dompter :

« Je ne l'ai dompté, répondait-il, qu'avec mes douces
paroles et le son de ma flûte. S'il me permet de le monter, c'est
qu'il a reconnu en moi son serviteur fidèle, son *mahout*[12]
dévoué. Sachez bien que le jour où l'on nous séparerait, l'un de
nous mourrait; et souhaitez que ce soit moi, car du salut de *la
Fleur sacrée* dépendent la richesse et la gloire de votre tribu.

« *La Fleur sacrée* était le nom qu'il m'avait donné et que
nul ne songeait à me contester. Les paroles de mon mahout
m'avaient profondément pénétré. Je sentis que sans lui on
m'eût avili, et je devins d'autant plus fier et plus indépendant.
Je résolus (et je me tins parole) de ne jamais agir que par son
conseil, et tous deux d'accord nous éloignâmes de nous quiconque ne nous traitait pas avec un profond respect. On lui avait
offert de me donner pour société les éléphants les plus beaux et
les mieux dressés. Je refusai absolument de les admettre auprès
de ma personne, et, seul avec Aor, je ne m'ennuyai jamais.

« J'avais environ quinze ans, et ma taille dépassait déjà
de beaucoup celle des éléphants adultes de l'Inde, lorsque nos
députés revinrent annonçant que, le radjah[a] des Birmans ayant
fait les plus belles offres, le marché était conclu. On avait agi
avec prudence. On ne s'était adressé à aucun des souverains du
royaume de Siam, parce qu'ils eussent pu me revendiquer
comme étant né sur leurs terres et ne vouloir rien payer pour
m'acquérir. Je fus donc adjugé au roi de Pagham[13] et conduit
de nuit très mystérieusement le long des côtes de Tenasserim
jusqu'à Martaban[14], d'où, après avoir traversé les monts
Karens, nous gagnâmes les rives du beau fleuve Iraouaddy[15].

« Il m'en avait coûté de quitter ma patrie et mes forêts; je
n'y eusse jamais consenti, si Aor ne m'eût dit sur sa flûte que la
gloire et le bonheur m'attendaient sur d'autres rivages. Durant
la route, je ne voulus pas le quitter un seul instant. Je lui permettais à peine de descendre de mon cou, et aux heures du sommeil, pour me préserver d'une poignante inquiétude, il dormait
entre mes jambes. J'étais jaloux, et ne voulais pas qu'il reçût
d'autre nourriture que celle que je lui présentais; je choisissais
pour lui les meilleurs fruits, et je lui tendais avec ma trompe le
vase que je remplissais moi-même de l'eau la plus pure. Je

l'éventais avec de larges feuilles; en traversant les bois et les jungles, j'abattais sans m'arrêter les arbustes épineux qui eussent pu l'atteindre et le déchirer. Je faisais enfin, mais mieux que tous les autres, tout ce que font les éléphants bien dressés, et je le faisais de ma propre volonté, non d'une manière banale, mais pour mon seul ami.

« Dès que nous eûmes atteint la frontière birmane, une députation du souverain vint au-devant de moi. Je fus inquiet du cérémonial qui m'entourait. Je vis que l'on donnait de l'or et des présents aux chasseurs malais qui m'avaient accompagné et qu'on les congédiait. Allait-on me séparer d'Aor ? Je montrai une agitation effrayante, et je menaçai les hauts personnages qui approchaient de moi avec respect. Aor, qui me comprenait, leur expliqua mes craintes, et leur dit que, séparé de lui, je ne consentirais jamais à les suivre. Alors, un des ministres chargés de ma réception, et qui était resté sous une tente, ôta ses sandales, et vint à moi pour me présenter à genoux une lettre du roi des Birmans, écrite en bleu sur une longue feuille de palmier dorée. Il s'apprêtait à m'en donner lecture lorsque je la pris de ses mains et la passai à mon mahout pour qu'il me la traduisît. Il n'avait pas le droit, lui qui appartenait à une caste inférieure, de toucher à cette feuille sacrée. Il me pria de la rendre au seigneur[a] ministre de Sa Majesté, ce que je fis aussitôt pour marquer ma déférence et mon amitié pour Aor. Le ministre reprit la lettre, sur laquelle on déplia une ombrelle d'or, et il lut :

« Très puissant, très aimé et très vénéré éléphant, du nom de *Fleur sacrée,* daignez venir résider dans la capitale de mon empire, où un palais digne de vous est déjà préparé. Par la présente lettre royale, moi, le roi des Birmans, je vous alloue un fief qui vous appartiendra en propre, un ministre pour vous obéir, une maison de deux cents personnes, une suite de cinquante éléphants, autant de chevaux et de bœufs que nécessitera votre service, six ombrelles d'or, un corps de musique, et tous les honneurs qui sont dus à l'éléphant sacré, joie et gloire des peuples. »

« On me montra le sceau royal, et, comme je restais impassible et indifférent, on dut demander à mon mahout si j'acceptais les offres du souverain. Aor répondit qu'il fallait me promettre de ne jamais me séparer de lui, et le ministre, après avoir consulté ses collègues, jura ce que j'exigeais. Alors, je montrai une grande joie en caressant la lettre royale, l'ombrelle d'or et un peu le visage du ministre, qui se déclara très heureux de m'avoir satisfait.

« Quoique très fatigué d'un long voyage, je témoignai que je voulais me mettre en marche pour voir ma nouvelle résidence et faire connaissance avec mon collègue et mon égal, le roi de Birmanie. Ce fut une marche triomphale tout le long du fleuve que nous remontions. Ce fleuve Iraouaddy était d'une beauté sans égale. Il coulait, tantôt nonchalant, tantôt rapide, entre des rochers couverts d'une[a] végétation toute nouvelle pour moi, car nous nous avancions vers le nord, et l'air était plus frais, sinon plus pur que celui de mon pays. Tout était différent. Ce n'était plus le silence et la majesté du désert. C'était un monde de luxe et de fêtes ; partout sur le fleuve des barques à la poupe élevée en forme de croissant, garnies de banderoles de soie lamée d'or, suivies de barques de pêcheurs ornées de feuillage et de fleurs. Sur le rivage, des populations riches sortaient de leurs habitations élégantes pour venir s'agenouiller sur mon passage et m'offrir des parfums[b]. Des bandes de musiciens et de prêtres accourus de toutes les pagodes mêlaient leurs chants aux sons de l'orchestre qui me précédait.

« Nous avancions à très petites journées dans la crainte de me fatiguer, et deux ou trois fois par jour on s'arrêtait pour mon bain. Le fleuve n'était pas toujours guéable sur les rives. Aor me laissait sonder avec ma trompe. Je ne voulais me risquer que sur le sable le plus fin et dans l'eau la plus pure. Une fois sûr de mon point de départ, je m'élançais dans le courant, si rapide et si profond qu'il pût être, portant toujours sur mon cou le confiant Aor, qui prenait autant de plaisir que moi à cet exercice et qui, aux endroits difficiles et dangereux, ranimait mon ardeur et ma force en jouant sur sa flûte un chant de notre pays, tandis que mon cortège et la foule pressée sur les deux rives exprimaient leur anxiété ou leur admiration par des cris, des prosternations et des invocations de bras tendus vers moi. Les ministres, inquiets de l'audace d'Aor, délibéraient entre eux s'ils ne devaient pas m'interdire d'exposer ainsi ma vie précieuse au salut de l'empire ; mais Aor jouant toujours de la flûte sur ma tête au ras du flot et ma trompe relevée comme le cou d'un paon gigantesque témoignaient de notre sécurité. Quand nous revenions lentement et paisiblement au rivage, tous accouraient vers moi avec des génuflexions ou des cris de triomphe, et mon orchestre déchirait les airs[c] de ses fanfares éclatantes. Cet orchestre ne me plut pas le premier jour. Il se composait de trompettes au son aigu, de trompes énormes, de gongs effroyables, de castagnettes de bambou et de tambours portés par des éléphants de service. Ces tambours étaient formés d'une cage ronde richement travaillée au centre de laquelle un homme accroupi sur ses jambes croisées frappait tour à tour avec deux baguettes sur une gamme[d] de cymbales sonores. Une autre cage, semblable extérieurement, était munie de timbales de divers métaux, et le musicien, également assis au centre et porté par un éléphant, en tirait de puissants accords. Ce grand bruit d'instruments terribles choqua d'abord mon oreille délicate. Je m'y habituai pourtant, et je pris plaisir aux étranges harmonies qui proclamaient ma gloire aux quatre vents du ciel. Mais je préférai toujours la musique de salon, la douce harpe birmane, gracieuse imitation des jonques de l'Iraouaddy, le *caïman*, harmonica aux touches d'acier, dont les sons ont une pureté angélique, et par-dessus tout la suave mélodie que me faisait entendre Aor sur sa flûte de roseau.

« Un jour qu'il jouait[a] sur un certain rythme saccadé[b], au milieu du fleuve, nous fûmes entourés d'une foule innombrable de gros poissons dorés à la manière des pagodes qui dressaient leur tête hors de l'eau comme pour nous implorer. Aor leur jeta un peu de riz dont il avait toujours un petit sac dans sa ceinture[c]. Ils manifestèrent une grande joie et nous accompagnèrent jusqu'au rivage, et, comme la foule se récriait, je pris délicatement un de ces poissons et le présentai au premier ministre, qui le baisa et ordonna que sa dorure fût vite rehaussée d'une nouvelle couche; après quoi, on le remit dans l'eau avec respect. J'appris ainsi que c'étaient les poissons sacrés de l'Iraouaddy, qui résident en un seul point du fleuve et qui viennent à l'appel de la voix humaine, n'ayant jamais eu rien à redouter de l'homme.

« Nous arrivâmes enfin à Pagham, une ville de quatre à cinq lieues d'étendue[a] le long du fleuve. Le spectacle que présentait cette vallée de palais, de temples, de pagodes, de villas et de jardins me causa un tel étonnement, que je m'arrêtai comme pour demander à mon mahout si ce n'était pas un rêve. Il n'était pas moins ébloui que moi, et, posant ses mains sur mon front que ses caresses pétrissaient sans cesse :

« — Voilà ton empire, me dit-il. Oublie les forêts et les jungles, te voici dans un monde d'or et de pierreries!

« C'était alors un monde enchanté en effet. Tout était ruisselant d'or et d'argent, de la base au faîte des mille temples et pagodes qui remplissaient l'espace et se perdaient dans les splendeurs de l'horizon. Le bouddhisme ayant respecté les monuments de l'ancien culte, la diversité était infinie. C'étaient des masses imposantes, les unes trapues, les autres élevées comme des montagnes à pic, des coupoles immenses en forme de cloches, des chapelles surmontées d'un œuf monstrueux, blanc comme la neige, enchâssé dans une base dorée, des toits longs superposés sur des piliers à jour autour desquels se tordaient des dragons étincelants, dont les écailles de verre de toutes couleurs semblaient faites de pierres précieuses ; des pyramides formées d'autres toits laqués d'or vert, bleu, rouge, étagés en diminuant jusqu'au faîte, d'où s'élançait une flèche d'or immense terminée par un bouton de cristal, qui resplendissait comme un diamant monstre aux feux du soleil. Plusieurs de ces édifices élevés sur le flanc du ravin avaient des perrons de trois et quatre cents marches avec des terrassements d'une blancheur éclatante qui semblaient taillés dans un seul bloc du plus beau marbre. C'étaient des revêtements de collines entières faites d'un ciment de corail blanc et de nacre pilés. Aux flancs de certains édifices, sur les faîtières, à tous les angles des toits, des monstres fantastiques en bois de santal, tout bossués d'or et d'émail, semblaient s'élancer dans le vide ou vouloir mordre le ciel. Ailleurs, des édifices de bambous, tout à jour et d'un travail exquis. C'était un entassement de richesses folles, de caprices déréglés ; la morne splendeur des grands monastères noirs, d'un style antique et farouche, faisait ressortir l'éclat scintillant des constructions modernes. Aujourd'hui, ces magnificences inouïes ne sont plus ; alors, c'était un rêve d'or, une fable des contes orientaux réalisée par l'industrie humaine.[16]

« Aux portes de la ville, nous fûmes reçus par le roi et toute la cour. Le monarque descendit de cheval et vint me saluer, puis on me fit entrer dans un édifice où l'on procéda à ma toilette de cérémonie, que le roi avait apportée dans un grand coffre de bois de cèdre incrusté d'ivoire, porté par le plus beau et le plus paré de ses éléphants ; mais comme j'éclipsai ce luxueux subalterne quand je parus dans mon costume d'apparat ! Aor commença par me laver et me parfumer avec grand soin, puis on me revêtit de longues bandes écarlates, tissées d'or et de soie, qui se drapaient avec art autour de moi sans cacher la beauté de mes formes et la blancheur sacrée de mon pelage. On mit sur ma tête une tiare en drap écarlate ruisselante de gros diamants et de merveilleux rubis, on ceignit mon front des neuf cercles de pierres précieuses, ornement consacré qui conjure l'influence des mauvais esprits. Entre mes yeux brillait un croissant de pierreries et une plaque d'or où se lisaient tous mes titres. Des glands d'argent du plus beau travail furent suspendus à mes oreilles, des anneaux d'or et d'émeraudes, saphirs et diamants, furent passés dans mes défenses, dont la blancheur et le brillant attestaient ma jeunesse et ma pureté. Deux larges boucliers d'or massif couvrirent mes épaules, enfin un coussin de pourpre fut placé sur mon cou, et je vis avec joie que mon cher Aor avait un sarong de soie blanche brochée d'argent, des bracelets de bras et de jambes en or fin et un léger châle du cachemire blanc le plus mœlleux roulé autour de la tête. Lui aussi était lavé et parfumé. Ses formes étaient plus fines et mieux modelées que celles des Birmans, son teint était plus sombre, ses yeux plus beaux. Il était jeune encore, et, quand je le vis recevoir pour me conduire une baguette toute incrustée de perles fines et toute cerclée de rubis, je fus fier de lui et l'enlaçai avec amour. On voulut lui présenter la légère échelle de bambou qui sert à escalader les montures de mon espèce et qu'on leur attache ensuite au flanc pour être à même d'en descendre à volonté. Je repoussai cet emblème de servitude, je me couchai et j'étendis ma tête de manière que mon ami pût s'y asseoir sans rien déranger à ma parure, puis je me relevai si fier et si imposant, que le roi lui-même fut frappé de ma dignité, et déclara que jamais éléphant sacré si noble[a] et si beau n'avait attesté et assuré la prospérité de son empire.

« Notre défilé jusqu'à mon palais dura plus de trois heures[b]; le sol était jonché de verdure et de fleurs. De dix pas en dix pas, des cassolettes placées sur mon passage répandaient de suaves parfums, l'orchestre du roi jouait en même temps que le mien, des troupes de bayadères admirables me précédaient en dansant. De chaque rue qui s'ouvrait sur la rue principale débouchaient des cortèges nouveaux composés de tous les grands de la ville et du pays, qui m'apportaient de nouveaux présents et me suivaient sur deux files. L'air chargé de parfums à la fumée bleue retentissait de fanfares qui eussent couvert le bruit du tonnerre. C'était le rugissement d'une tempête au milieu d'un épanouissement de délices. Toutes les maisons étaient pavoisées de riches tapis et d'étoffes merveilleuses.

Beaucoup étaient reliées par de légers arcs de triomphe, ouvrages en rotin improvisés et pavoisés aussi avec une rare élégance. Du haut de ces portes à jour, des mains invisibles faisaient pleuvoir sur moi une neige odorante de fleurs de jasmin et d'oranger.

« On s'arrêta sur une grande place palissadée en arène pour me faire assister aux jeux et aux danses. Je pris plaisir à tout ce qui était agréable et fastueux ; mais j'eus horreur des combats d'animaux, et, en voyant deux éléphants, rendus furieux par une nourriture et un entraînement particuliers, tordre avec rage leurs trompes enlacées et se déchirer avec leurs défenses, je quittai la place d'honneur que j'occupais et m'élançai au milieu de l'arène pour séparer les combattants. Aor n'avait pas eu le temps de me retenir, et des cris de désespoir s'élevèrent de toutes parts. On craignait que les adversaires ne fondissent sur moi ; mais à peine me virent-ils près d'eux, que leur rage tomba comme par enchantement et qu'ils s'enfuirent éperdus et humiliés. Aor, qui m'avait lestement rejoint, déclara que je ne pouvais supporter la vue du sang et que d'ailleurs, après un voyage de plus de cinq cents lieues, j'avais absolument besoin de repos. Le peuple fut très ému de ma conduite, et les sages du pays se prononcèrent pour moi, affirmant que le Bouddha condamnait les jeux sanglants et les combats d'animaux. J'avais donc exprimé sa volonté, et on renonça pour plusieurs années à ces cruels divertissements.

« On me conduisit à mon palais, situé au delà de la ville, dans un ravin délicieux au bord du fleuve. Ce palais était aussi grand et aussi riche que celui du roi. Outre le fleuve, j'avais dans mon jardin un vaste bassin d'eau courante pour mes ablutions de chaque instant. J'étais fatigué. Je me plongeai dans le bain et me retirai dans la salle qui devait me servir de chambre à coucher, où je restai seul avec Aor, après avoir témoigné que j'avais assez de musique et ne voulais d'autre société que celle de mon ami.

« Cette salle de repos était une coupole imposante, soutenue par une double colonnade de marbre rose. Des étoffes du plus grand prix fermaient les issues et retombaient en gros plis sur le parquet de mosaïque. Mon lit était un amas odorant de bois de santal réduit en fine poussière. Mon auge était une vasque d'argent massif où quatre personnes se fussent baignées à l'aise. Mon râtelier était une étagère de laque dorée[a] couverte des fruits les plus succulents. Au milieu de la salle[b], un vase colossal en porcelaine du Japon laissait retomber en cascade un courant d'eau pure qui se perdait dans une corbeille de lotus. Sur le bord de la vasque de jade, des oiseaux d'or et d'argent émaillés de mille couleurs chatoyantes semblaient se pencher

95

pour boire. Des guirlandes de spathes, de par.danus odorant se balançaient au-dessus de ma tête. Un immense éventail, le *pendjab* des palais de l'Inde, mis en mouvement par des mains invisibles, m'envoyait un air frais sans cesse renouvelé du haut de la coupole.

« A mon réveil, on fit entrer divers animaux apprivoisés, de petits singes, des écureuils, des cigognes, des phénicoptères, des colombes, des cerfs et des biches de cette jolie espèce qui n'a pas plus d'une coudée de haut. Je m'amusai un instant de cette société enjouée ; mais je préférais la fraîcheur et la propreté immaculée de mon appartement à toutes ces visites, et je fis connaître que la société des hommes convenait mieux à la gravité de mon caractère.

« Je vécus ainsi de longues années dans la splendeur et les délices avec mon cher Aor ; nous étions de toutes les cérémonies et de toutes les fêtes, nous recevions la visite des ambassadeurs étrangers. Nul sujet n'approchait de moi que les pieds nus et le front dans la poussière. J'étais comblé de présents, et mon palais était l'un des plus riches musées de l'Asie. Les prêtres les plus savants venaient me voir et converser avec moi, car ils trouvaient ma vaste intelligence à la hauteur de leurs plus beaux préceptes, et prétendaient lire dans ma pensée à travers mon large front toujours empreint d'une sérénité sublime. Aucun temple ne m'était fermé, et j'aimais à pénétrer dans ces hautes et sombres chapelles où la figure colossale de Gautama, [17] ruisselante d'or, se dressait comme un soleil au fond des niches éclairées d'en haut. Je croyais revoir le soleil de mon désert et je m'agenouillais devant lui, donnant ainsi l'exemple aux croyants, édifiés de ma piété. Je savais même présenter des offrandes à l'idole vénérée, et balancer devant elle l'encensoir d'or. Le roi me chérissait et veillait avec soin à ce que ma maison fût toujours tenue sur le même pied que la sienne.

« Mais aucun bonheur terrestre ne peut durer. Ce digne souverain s'engagea dans une guerre funeste[a] contre un Etat voisin. Il fut vaincu et détrôné. L'usurpateur le relégua dans l'exil et ne lui permit pas de m'emmener. Il me garda comme un signe de puissance et un gage de son alliance avec le Bouddha ; mais il n'avait pour moi ni amitié ni vénération, et mon service fut bientôt négligé. Aor s'en affecta et s'en plaignit. Les serviteurs du nouveau prince le prirent en haine et résolurent de se défaire de lui. Un soir, comme nous dormions ensemble, ils pénétrèrent sans bruit chez moi et le frappèrent d'un poignard. Eveillé par ses cris[b], je fondis sur les assassins, qui prirent la fuite. Mon pauvre Aor était évanoui, son sarong était taché de sang. Je pris dans le bassin d'argent toute l'eau dont je l'aspergeai sans pouvoir le ranimer. Alors, je me souvins du médecin qui était toujours de service dans la pièce voisine, j'allai l'éveiller et je l'amenai auprès d'Aor. Mon ami fut bien soigné et revint à la vie ; mais il resta longtemps affaibli par la perte de son sang, et je ne voulus plus sortir ni me baigner sans lui. La douleur m'accablait, je refusais de manger ; toujours couché près de lui, je versais des larmes et lui parlais avec mes yeux et mes oreilles pour le supplier de guérir.

« On ne rechercha pas les assassins ; on prétendit que j'avais blessé Aor par mégarde avec une de mes défenses, et on parla de me les scier. Aor s'indigna et jura qu'il avait été frappé avec un stylet. Le médecin, qui savait bien à quoi s'en tenir, n'osa pas affirmer la vérité. Il conseilla même à mon ami de se taire, s'il ne voulait hâter le triomphe des ennemis qui avaient juré sa perte.

« Alors, un profond chagrin s'empara de moi, et la vie civilisée à laquelle on m'avait initié me parut la plus amère des servitudes. Mon bonheur dépendait du caprice d'un prince qui ne savait ou ne voulait pas protéger les jours de mon meilleur ami. Je pris en dégoût les honneurs hypocrites qui m'étaient encore rendus pour la forme, je reçus les visites officielles avec humeur, je chassai les bayadères et les musiciens qui troublaient le faible et pénible sommeil de mon ami. Je me privai le plus possible de dormir pour veiller sur lui.

« J'avais le pressentiment d'un nouveau malheur, et dans cette surexcitation du sentiment je subis un phénomène douloureux[a], celui de retrouver la mémoire de mes jeunes années. Je revis dans mes rêves troublés l'image longtemps effacée de ma mère assassinée en me couvrant de son corps percé de flèches. Je revis aussi mon désert, mes arbres splendides, mon fleuve Tenasserim, ma montagne d'Ophir, et ma vaste mer étincelant à l'horizon. La nostalgie s'empara de moi et une idée fixe, l'idée de fuir, domina impérieusement mes rêveries. Mais je voulais fuir avec Aor, et le pauvre Aor, couché sur le flanc, pouvait à peine se soulever pour baiser mon front penché vers lui.

« Une nuit, malade moi-même, épuisé de veilles et succombant à la fatigue, je dormis profondément durant quelques heures. A mon réveil, je ne vis plus Aor sur sa couche et je l'appelai en vain. Eperdu, je sortis dans le jardin, je cherchai au bord de l'étang. Mon odorat me fit savoir qu'Aor n'était point là et qu'il n'y était pas venu récemment. Grâce à la négligence qui avait gagné mes serviteurs, je pus ouvrir moi-même les portes de l'enclos et sortir des palissades. Alors, je sentis le voisinage de mon ami et m'élançai dans un bois de tamarins qui tapissait la colline. A une courte distance, j'entendis un cri plaintif et je me précipitai dans un fourré où je vis Aor lié à un arbre et entouré de scélérats prêts à le frapper. D'un bond, je les renversai tous, je les foulai aux pieds sans pitié. Je rompis les liens qui retenaient Aor, je le saisis délicatement, je l'aidai à se placer sur mon cou, et, prenant l'allure rapide et silencieuse de l'éléphant en fuite, je m'enfonçai au hasard dans les forêts[b].

« A cette époque, la partie de l'Inde où nous nous trouvions offrait le contraste heurté des civilisations luxueuses à deux pas des déserts inexplorables. J'eus donc bientôt gagné les solitudes sauvages des monts Karens, et, quand, à bout de forces, je me couchai sur les bords d'un fleuve plus direct et plus rapide que l'Iraouaddy, nous étions déjà à trente lieues de la ville birmane. Aor me dit :

— Où allons-nous ? Ah! je le vois dans tes regards, tu veux retourner dans nos montagnes ; mais tu crois y être déjà, et tu t'abuses. Nous en sommes bien loin, et nous ne pourrons jamais y arriver sans être découverts et repris. D'ailleurs, quand nous échapperions aux hommes, nous ne pourrions aller loin sans que, malade comme je suis, je meure, et alors comment te dirigeras-tu sans moi dans cette route lointaine ? Laisse-moi ici, car c'est à moi seul qu'on en veut, et retourne à Pagham, où personne n'osera te menacer.

« Je lui témoignai que je ne voulais ni le quitter ni retourner chez les Birmans ; que s'il mourait, je mourrais aussi ;

qu'avec de la patience et du courage, nous pouvions redevenir heureux.

« Il se rendit, et, après avoir pris du repos, nous nous remîmes en route. Au bout de quelques jours de voyage, nous avions recouvré tous deux la santé, l'espoir et la force. L'air libre de la solitude, l'austère parfum des forêts, la saine chaleur des rochers, nous guérissaient mieux que toutes les douceurs du faste et tous les remèdes des médecins. Cependant, Aor était parfois effrayé de la tâche que je lui imposais. Enlever un éléphant sacré, c'était, en cas d'insuccès, se dévouer aux plus atroces supplices. Il me disait ses craintes sur une flûte de roseau qu'il s'était faite et dont il jouait mieux que jamais. J'étais arrivé à un exercice de la pensée presque égal à celui de l'homme ; je lui fis comprendre ce qu'il fallait faire, en me couvrant d'une vase[a] noire qui s'étalait au bord du fleuve et dont je m'aspergeais avec adresse. Frappé de ma pénétration, il recueillit divers sucs de plantes dont il connaissait bien les propriétés. Il en fit une teinture qui me rendit, sauf la taille, entièrement semblable aux éléphants vulgaires. Je lui indiquai que cela ne suffisait pas et qu'il fallait, pour me rendre méconnaissable, scier mes défenses. Il ne s'y résigna pas. J'étais à ma sixième dentition[19], et il craignait que mes crochets ne pussent repousser. Il jugea que j'étais suffisamment déguisé, et nous nous remîmes en route.

« Quelque peu fréquenté que fût ce chemin de montagnes, ce fut miracle que d'échapper aux dangers de notre entreprise. Jamais nous n'y fussions parvenus l'un sans l'autre ; mais, dans l'union intime de l'intelligence humaine avec une grande force animale, une puissance exceptionnelle s'improvise. Si les hommes avaient su s'identifier aux animaux assez complètement pour les amener à s'identifier à eux, ils n'auraient pas trouvé en eux des esclaves parfois rebelles et dangereux, souvent surmenés et insuffisants. Ils auraient eu d'admirables amis et ils eussent résolu le problème de la force consciente sans avoir recours aux forces aveugles de la machine, animal plus redoutable et plus féroce que les bêtes du désert.

« A force de prudence et de persévérance, quelquefois harcelés par des bandits que je sus mettre en fuite et dont je ne craignais ni les lances ni les flèches, revêtu que j'étais d'une légère armure en écailles de bois de fer[20] qu'Aor avait su me fabriquer, nous parvînmes au fleuve Tenasserim. Notre direction n'avait pas été difficile à suivre. Outre que nous nous rappelions très bien l'un et l'autre ce voyage que nous avions déjà fait, la construction géologique de l'Indochine est très simple. Les longues arêtes de montagnes, séparées par des vallées profondes et de larges fleuves, se ramifient médiocrement et s'inclinent sans point d'arrêt sensible jusqu'à la mer. Les monts Karens se relient aux monts Moghs en ligne presque droite. Nous fîmes très rarement fausse route, et nos erreurs furent rapidement rectifiées. Je dois dire que, de nous deux, j'étais toujours le plus prompt à retrouver la vraie direction.

« Nous n'approchâmes de nos anciennes demeures qu'avec circonspection. Il nous fallait vivre seuls et en liberté complète. Nous fûmes servis à souhait. La tribu, enrichie par la vente de ma personne à l'ancien roi des Birmans, avait quitté ses villages de roseaux, et nos forêts, dépeuplées d'animaux à la suite d'une terrible sécheresse, avaient été abandonnées par les chasseurs. Nous pûmes y faire un établissement plus libre et plus sûr encore que par le passé. Aor ne possédait absolument rien et ne regrettait rien de notre splendeur évanouie. Sans amis, sans famille, il ne connaissait et n'aimait plus que moi sur la terre. Je n'avais jamais aimé que ma mère et lui. Une si longue intimité avait détruit entre nous l'obstacle apporté par la nature à notre assimilation. Nous conversions ensemble comme deux êtres de même espèce. Ma pantomime était devenue si réfléchie, si sobre, si expressive, qu'il lisait dans ma pensée comme moi dans la sienne. Il n'avait même plus besoin de me parler. Je le sentais triste ou gai selon le mode et les inflexions de sa flûte, et, notre destinée étant commune, je me reportais avec lui dans les souvenirs du passé, ou je me plongeais dans la béate extase du présent.

« Nous passâmes de longues années dans les délices de la délivrance. Aor était devenu bouddhiste fervent en Birmanie et ne vivait plus que de végétaux. Notre subsistance était assurée, et nous ne connaissions plus ni la souffrance ni la maladie.

« Mais le temps marchait, et Aor était devenu vieux. J'avais vu ses cheveux blanchir et ses forces décroître. Il me fit comprendre les effets de l'âge et m'annonça qu'il mourrait bientôt. Je prolongeai sa vie en lui épargnant toute fatigue et tout soin. Un moment vint où il ne put pourvoir à ses besoins, je lui apportais sa nourriture et je construisais ses abris. Il perdit la chaleur du sang, et, pour se réchauffer, il ne quittait plus le contact de mon corps. Un jour, il me pria de lui creuser une fosse parce qu'il se sentait mourir. J'obéis, il s'y coucha sur un lit d'herbages, enlaça ses bras autour de ma trompe et me dit adieu. Puis ses bras retombèrent, il resta immobile, et son corps se raidit.

« Il n'était plus. Je recouvris la fosse comme il me l'avait commandé, et je me couchai dessus. Avais-je bien compris la mort ? Je le pense, et pourtant je ne me demandai pas si la longévité de ma race me condamnait à lui survivre beaucoup[21]. Je ne pris pas la résolution de mourir aussi. Je pleurai et j'oubliai de manger. Quand la nuit fut passée, je n'eus aucune idée d'aller au bain ni de me mouvoir. Je restai plongé dans un accablement absolu. La nuit suivante me trouva inerte et indifférent. Le soleil revint encore une fois et me trouva mort.

L'âme fidèle et généreuse d'Aor avait-elle passé en moi ? Peut-être. J'ai appris dans d'autres existences qu'après ma disparition l'empire birman avait éprouvé de grands revers. La royale ville de Pagham fut abandonnée par le conseil des prêtres de Gautama. Le Bouddha était irrité du peu de soin qu'on avait eu de moi, ma fuite témoignait de son mécontentement. Les riches emportèrent leurs trésors et se bâtirent de nouveaux palais sur le territoire d'Ava[22]; plus tard, ils abandonnèrent encore cette ville somptueuse pour Amarapoura[23]. Les pauvres emportèrent à dos de chameau leurs maisons de rotin pour suivre les maîtres du pays loin de la cité maudite. Pagham avait été le séjour et l'orgueil de quarante-cinq rois consécutifs, je l'avais condamnée en la quittant, elle n'est plus aujourd'hui qu'un grandiose amas de ruines[24].

« Votre histoire m'a amusée, dit alors à sir William la petite fille qui lui avait déjà parlé ; mais à présent, puisque nous avons tous été des bêtes avant d'être des personnes, je voudrais savoir ce que nous serons plus tard, car enfin tout ce que l'on raconte aux enfants doit avoir une moralité à la fin, et je ne vois pas venir la vôtre.

— Ma sœur a raison, dit un jeune homme qui avait écouté sir William avec intérêt. Si c'est une récompense d'être homme après avoir été chien honnête ou éléphant vertueux, l'homme honnête et vertueux doit avoir aussi la sienne en ce monde.

— Sans aucun doute, répondit sir William. La personnalité humaine n'est pas le dernier mot de la création sur notre planète. Les savants les plus modernes sont convaincus que l'intelligence progresse d'elle-même par la loi qui régit la matière. Je n'ai pas besoin d'entrer dans cet ordre d'idées pour vous dire qu'esprit et matière progressent de compagnie. Ce qu'il y a de certain pour moi, c'est que tout être aspire à se perfectionner et que, de tous les êtres, l'homme est le plus jaloux de s'élever au-dessus de lui-même. Il y est merveilleusement aidé par l'étendue de son intelligence et par l'ardeur de son sentiment. Il sent qu'il est un produit encore très incomplet de la nature et qu'une race plus parfaite doit lui succéder par voie ininterrompue de son propre développement.

« — Je ne comprends pas bien, reprit la petite fille ; deviendrons-nous des anges avec des ailes et des robes d'or ?

« — Parfaitement, répondit sir William. Les robes d'or sont des emblèmes de richesse et de pureté ; nous deviendrons tous riches et purs ; les ailes, nous saurons les trouver : la science nous les donnera pour traverser les airs, comme elle nous a donné les nageoires pour traverser les mers.

— Oh ! nous voilà retombés dans les machines que vous maudissiez tout à l'heure.

— Les machines feront leur temps comme nous ferons le nôtre, repartit sir William, l'animalité fera le sien et progressera en même temps que nous. Qui vous dit qu'une race d'aigles aussi puissants que les ballons et aussi dociles que les chevaux ne surgira pas pour s'associer aux voyages aériens de l'homme futur ? Est-ce une simple fantaisie poétique que ces dieux de l'antiquité portés ou traînés par des lions, des dauphins ou des colombes ? N'est-ce pas plutôt une sorte de vue prophétique de la domestication de toutes les créatures associées à l'homme divinisé de l'avenir ? Oui, l'homme doit dès ce monde devenir ange, si par ange vous entendez un type d'intelligence et de grandeur morale supérieur au nôtre. Il ne faut pas un miracle païen, il ne faut qu'un miracle naturel, comme ceux qui se sont déjà tant de fois accomplis sur la terre, pour que l'homme voie changer ses besoins et ses organes en vue d'un milieu nouveau. J'ai vu des races entières s'abstenir de manger la chair des animaux, un grand progrès de la race entière sera de devenir frugivore, et les carnassiers disparaîtront. Alors fleurira la grande

association universelle, l'enfant jouera avec le tigre comme le jeune Bacchus[25], l'éléphant sera l'ami de l'homme, les oiseaux de haut vol conduiront dans les airs nos chars ovoïdes, la baleine transportera nos messages. Que sais-je ! tout devient possible sur notre planète dès que nous supprimons le carnage et la guerre. Toutes les forces intelligentes de la nature, au lieu de s'entre-dévorer, s'organisent fraternellement pour soumettre et féconder la matière inorganique... Mais j'ai tort de vous esquisser ces merveilles ; vous êtes plus à même que moi, jeunes esprits qui m'interrogez, d'en évoquer les riantes et sublimes images. Il suffit que, du monde réel, je vous aie lancés dans le monde du rêve. Rêvez, imaginez, faites du merveilleux, vous ne risquez pas d'aller trop loin, car l'avenir du monde idéal auquel nous devons croire dépassera encore de beaucoup les aspirations de nos âmes timides et incomplètes.

L'Orgue du Titan

Un soir, l'improvisation musicale du vieux et illustre maître Angelin nous passionnait comme de coutume, lorsqu'une corde de piano vint à se briser avec une vibration insignifiante pour nous, mais qui produisit sur les nerfs surexcités de l'artiste l'effet d'un coup de foudre. Il recula brusquement sa chaise, frotta ses mains, comme si, chose impossible, la corde les eût cinglées, et laissa échapper ces étranges paroles :

— Diable de titan, va !ᵃ

Sa modestie bien connue ne nous permettait pas de penser qu'il se comparât à un titan. Son émotion nous parut extraordinaire. Il nous dit que ce serait trop long à expliquer.

— Ceci m'arrive quelquefois, nous dit-il, quand je joue le motif sur lequel je viens d'improviser. Un bruit imprévu me trouble et il me semble que mes mains s'allongent. C'est une sensation douloureuse et qui me reporte à un moment tragique et pourtant heureux dans mon existence.

Pressé de s'expliquer, il céda et nous raconta ce qui suit :

Vous savez que je suis de l'Auvergne, né dans une très pauvre condition et que je n'ai pas connu mes parents. Je fus élevé par la charité publique et recueilli par M. Jansiré, que l'on appelait par abréviation maître Jean, professeur de musique et organiste de la cathédrale de Clermont. J'étais son élève en qualité d'enfant de chœur. En outre, il prétendait m'enseigner le solfège et le clavecin.

C'était un homme terriblement bizarre que maître Jean, un véritable type de musicien classique, avec[a] toutes les excentricités que l'on nous attribue, que quelques-uns de nous affectent encore, et qui, chez lui, étaient parfaitement naïves, par conséquent redoutables.

Il n'était pas sans talent, bien que ce talent fût très au-dessous de l'importance qu'il lui attribuait. Il était bon musicien, avait des leçons en ville et m'en donnait à moi-même à ses moments perdus, car j'étais plutôt son domestique que son élève et je faisais mugir les soufflets de l'orgue plus souvent que je n'en essayais les touches.[b]

Ce délaissement ne m'empêchait pas d'aimer la musique et d'en rêver sans cesse ; à tous autres égards, j'étais un véritable idiot, comme vous allez voir.

Nous allions quelquefois à la campagne, soit pour rendre visite à des amis du maître, soit pour réparer les épinettes et clavecins de sa clientèle ; car, en ce temps-là,—je vous parle du commencement du siècle[c],— il y avait fort peu de pianos dans nos provinces, et le professeur[d] organiste ne dédaignait pas les petits profits du luthier et de l'accordeur[e].

Un jour, maître Jean[f] me dit :

— Petit, vous vous lèverez demain avec le jour. Vous ferez[g] manger l'avoine à Bibi, vous lui mettrez la selle et le portemanteau et vous viendrez avec moi. Emportez vos souliers neufs et votre habit vert billard. Nous allons passer deux jours de vacances chez mon frère le curé de Chanturgue.

Bibi était un petit cheval maigre, mais vigoureux, qui avait l'habitude de porter maître Jean avec moi en croupe.

Le curé de Chanturgue était un bon vivant et un excellent homme que j'avais vu quelquefois chez son frère. Quant à Chanturgue, c'était une paroisse éparpillée dans les montagnes et dont je n'avais non plus d'idée que si l'on m'eût parlé de quelque tribu perdue dans les déserts du nouveau monde[1].

Il fallait être ponctuel avec maître Jean. A trois heures du matin, j'étais debout ; à quatre, nous étions sur la route des montagnes ; à midi, nous prenions quelque repos et nous déjeunions dans une petite maison d'auberge bien noire et bien froide, située à la limite d'un désert de bruyères et de laves ; à trois heures, nous repartions à travers ce désert.

La route était si ennuyeuse, que je m'endormis à plusieurs reprises. J'avais étudié très consciencieusement la manière de dormir en croupe sans que le maître s'en aperçût. Bibi ne portait pas seulement l'homme et l'enfant, il avait encore à l'arrière-train, presque sur la queue, un portemanteau étroit, assez élevé, une sorte de petite caisse en cuir où ballotaient pêle-mêle les outils de maître Jean et ses nippes de rechange. C'est sur ce portemanteau que je me calais, de manière qu'il ne sentît pas sur son dos l'alourdissement de ma personne et sur son épaule le balancement[a] de ma tête. Il avait beau consulter le profil que nos ombres dessinaient sur les endroits aplanis du chemin ou sur les talus de rochers ; j'avais étudié cela aussi, et j'avais, une fois pour toutes, adopté une pose en raccourci, dont il ne pouvait saisir nettement l'intention. Quelquefois pourtant, il soupçonnait quelque chose et m'allongeait sur les jambes un coup de sa cravache à pomme d'argent, en disant :

— Attention, petit ! on ne dort pas dans la montagne !

Comme nous traversions un pays plat et que les précipices étaient encore loin, je crois que ce jour-là il dormit pour son compte. Je m'éveillai dans un lieu qui me parut sinistre. C'était encore un sol plat couvert de bruyères et de buissons de sorbiers nains. De sombres collines tapissées de petits sapins s'élevaient sur ma droite et fuyaient derrière moi ; à mes pieds, un petit lac, rond comme un verre de lunette, — c'est vous dire que c'était un ancien cratère, — eflétait un ciel bas et nuageux. L'eau, d'un gris bleuâtre, à pâles reflets métalliques, ressemblait à du plomb en fusion. Les berges unies de cet étang circulaire cachaient pourtant l'horizon, d'où l'on pouvait conclure que nous étions sur un plan très élevé ; mais je ne m'en rendis point compte et j'eus une sorte d'étonnement craintif en voyant les nuages ramper si près de nos têtes, que, selon moi, le ciel menaçait de nous écraser.

Maître Jean ne fit nulle attention à ma mélancolie.

— Laisse brouter Bibi, me dit-il en mettant pied à terre ; il a besoin de souffler. Je ne suis pas sûr d'avoir suivi le bon chemin, je vais voir.

Il s'éloigna et disparut dans les buissons ; Bibi se mit à brouter les fines herbes et les jolis œillets sauvages qui foisonnaient avec mille autres fleurs dans ce pâturage inculte. Moi, j'essayai de me réchauffer en battant la semelle. Bien que nous fussions en plein été, l'air était glacé. Il me sembla que les recherches du maître duraient un siècle. Ce lieu désert devait servir de refuge à des bandes de loups, et, malgré sa maigreur, Bibi eût fort bien pu les tenter. J'étais en ce temps-là plus maigre encore que lui ; je ne me sentis pourtant pas rassuré pour moi-même. Je trouvai le pays affreux et ce que le maître appelait une partie de plaisir s'annonçait pour moi comme une expédition grosse de dangers. Etait-ce un pressentiment ?

Enfin il reparut, disant que c'était le bon chemin et nous repartîmes au petit trot de Bibi, qui ne paraissait nullement démoralisé d'entrer dans la montagne.

Aujourd'hui, de belles routes sillonnent ces sites sauvages, en partie cultivés déjà ; mais, à l'époque où je les vis pour la première fois, les voies étroites, inclinées ou relevées dans tous les sens, allant au plus court n'importe au prix de quels efforts, n'étaient point faciles à suivre. Elles n'étaient empierrées que par les écroulements fortuits des montagnes, et, quand elles traversaient ces plaines disposées en terrasses, il arrivait que l'herbe recouvrait fréquemment les traces des petites roues de chariot et des pieds non ferrés des chevaux qui les traînaient.

Quand nous eûmes descendu jusqu'aux rives déchirées d'un torrent d'hiver, à sec pendant l'été, nous remontâmes rapidement, et, en tournant le massif exposé au nord, nous nous retrouvâmes vers le midi dans un air pur et brillant. Le soleil sur son déclin enveloppait le paysage d'une splendeur extraordinaire et ce paysage était une des plus belles choses que j'ai vues de ma vie. Le chemin tournant, tout bordé d'un buisson épais d'épilobes roses, dominait un plan raviné[a] au flanc duquel surgissaient deux puissantes roches de basalte d'aspect monumental, portant à leur cime des aspérités volcaniques qu'on eût pu prendre pour des ruines de forteresses.

J'avais déjà vu les combinaisons prismatiques du basalte dans mes promenades autour de Clermont, mais jamais avec cette régularité et dans cette proportion. Ce que l'une de ces roches avait d'ailleurs de particulier, c'est que les prismes étaient contournés en spirale et semblaient être l'ouvrage à la fois grandiose et coquet d'une race d'hommes gigantesques.

Ces deux roches paraissaient, d'où nous étions, fort voisines l'une de l'autre ; mais en réalité elles étaient séparées par un ravin à pic au fond duquel coulait une rivière. Telles qu'elles se présentaient, elles servaient de repoussoir à une gracieuse perspective de montagnes marbrées[a] de prairies vertes comme l'émeraude, et coupées de ressauts charmants formés de lignes rocheuses et de forêts. Dans tous les endroits adoucis, on saisissait au loin les chalets et les troupeaux de vaches, brillantes comme de fauves étincelles au reflet du couchant. Puis, au bout de cette perspective, par-dessus l'abîme des vallées profondes noyées dans la lumière, l'horizon se relevait en dentelures bleues, et les monts Dômes profilaient dans le ciel leurs pyramides tronquées, leurs ballons arrondis ou leurs masses isolées, droites comme des tours.

La chaîne de montagnes où nous entrions avait des formes bien différentes, plus sauvages et pourtant plus suaves. Les bois de hêtres jetés en pente rapide, avec leurs mille cascatelles au frais murmure, les ravins à pic tout tapissés de plantes grimpantes, les grottes où le suintement des sources entretenait le revêtement épais des mousses veloutées, les gorges étroites brusquement fermées à la vue par leurs coudes multipliés[b], tout cela était bien plus alpestre et plus mystérieux que les lignes froides et nues des volcans de date plus récente.

Depuis ce jour, j'ai revu l'entrée solennelle que les deux roches basaltiques placées à la limite du désert font à la chaîne du mont Dore, et j'ai pu me rendre compte du vague éblouissement que j'en reçus quand je les vis pour la première fois. Personne ne m'avait encore appris en quoi consiste le beau dans la nature. Je le sentis pour ainsi dire physiquement, et, comme j'avais mis pied à terre pour faciliter la montée au petit cheval, je restai immobile, oubliant de suivre le cavalier.

— Eh bien, eh bien, me cria maître Jean, que faites-vous là-bas, imbécile ?

Je me hâtai de le rejoindre et de lui demander le nom de l'endroit si *drôle*, où nous étions.

— Apprenez, drôle vous-même, répondit-il, que cet endroit est un des plus extraordinaires et des plus effrayants que vous verrez jamais. Il n'a pas de nom que je sache, mais les deux pointes que vous voyez là, c'est la roche Sanadoire et la roche Tuilière[2]. Allons, remontez, et faites attention à vous.

Nous avions tourné les roches et devant nous s'ouvrait l'abîme vertigineux qui les sépare. De cela, je ne fus point effrayé. J'avais gravi assez souvent les pyramides escarpées des monts Dômes pour ne pas connaître l'éblouissement de l'espace. Maître Jean, qui n'était pas né dans la montagne et qui n'était venu en Auvergne qu'à l'âge d'homme, était moins aguerri que moi.

Je commençai, ce jour-là, à faire quelques réflexions sur les puissants accidents de la nature au milieu desquels j'avais grandi sans m'en étonner, et, au bout d'un instant de silence, me retournant vers la roche Sanadoire, je demandai à mon maître *qu'est-ce qui avait fait* ces choses-là.

— C'est Dieu qui a fait toutes choses, répondit-il, vous le savez bien.

— Je sais ; mais pourquoi a-t-il fait des endroits qu'on dirait tout cassés[a], comme s'il avait voulu les défaire après les avoir faits ?

La question était fort embarrassante pour maître Jean, qui n'avait aucune notion des lois naturelles de la géologie et qui, comme la plupart des gens de ce temps-là, mettait encore en doute l'origine volcanique de l'Auvergne. Cependant, il ne lui convenait pas d'avouer son ignorance, car il avait la prétention d'être instruit et beau parleur. Il tourna donc la difficulté en se jetant dans la mythologie et me répondit emphatiquement :

— Ce que vous voyez là, c'est l'effort que firent les titans pour escalader le ciel.

— Les titans ! qu'est-ce que c'est que cela ? m'écriai-je voyant qu'il était en humeur de déclamer,

— C'était, répondit-il, des géants effroyables qui prétendaient détrôner Jupiter et qui entassèrent roches sur roches, monts sur monts, pour arriver jusqu'à lui ; mais il les foudroya, et ces montagnes brisées, ces autres éventrées, ces abîmes, tout cela, c'est l'effet de la grande bataille.

— Est-ce qu'ils sont tous morts ? demandai-je.

— Qui ça ? les titans ?

— Oui ; est-ce qu'il y en a encore ?

Maître Jean ne put s'empêcher de rire de ma simplicité, et, voulant s'en amuser, il répondit :

— Certainement, il en est resté quelques-uns.

— Bien méchants ?

— Terribles !

— Est-ce que nous en verrons dans ces montagnes-ci ?

— Eh ! eh ! cela se pourrait bien.

— Est-ce qu'ils pourraient nous faire du mal ?

— Peut-être ! mais, si tu en rencontres, tu te dépêcheras d'ôter ton chapeau et de saluer bien bas.

— Qu'à cela ne tienne ! répondis-je gaiement.

Maître Jean crut que j'avais compris son ironie et songea à autre chose. Quant à moi, je n'étais point rassuré, et, comme la nuit commençait à se faire, je jetais des regards méfiants[a] sur toute roche ou sur tout gros arbre d'apparence suspecte, jusqu'à ce que, me trouvant tout près, je pusse m'assurer qu'il n'y avait pas là forme humaine.

Si vous me demandiez où est située la paroisse de Chanturgue, je serais bien empêché de vous le dire. Je n'y suis jamais retourné depuis et je l'ai en vain cherchée sur les cartes et dans les itinéraires. Comme j'étais impatient d'arriver, la peur me gagnant de plus en plus, il me sembla que c'était fort loin de la roche Sanadoire. En réalité, c'était fort près, car il ne faisait pas nuit noire quand nous y arrivâmes. Nous avions fait beaucoup de détours en côtoyant les méandres du torrent. Selon toute probabilité, nous avions passé derrière les montagnes que j'avais vues de la roche Sanadoire et nous étions de nouveau à l'exposition du midi, puisqu'à plusieurs centaines de mètres au-dessous de nous croissaient quelques maigres vignes.

Je me rappelle très bien l'église et le presbytère avec les trois maisons qui composaient le village. C'était au sommet d'une colline adoucie que des montagnes plus hautes abritaient du vent[a]. Le chemin raboteux était très large et suivait avec une sage lenteur les mouvements de la colline. Il était bien battu, car la paroisse, composée d'habitations éparses et lointaines, comptait environ trois cents habitants que l'on voyait arriver tous les dimanches, en famille, sur leurs chars à quatre roues[b], étroits et longs comme des pirogues et traînés par des vaches. Excepté ce jour-là, on pouvait se croire dans le désert ; les maisons qui eussent pu être en vue se trouvaient cachées sous l'épaisseur des arbres au fond des ravins, et celles des bergers, situées en haut, étaient abritées dans les plis des grosses roches.

Malgré son isolement et la sobriété de son ordinaire, le curé de Chanturgue était gros, gras et fleuri comme les plus beaux chanoines d'une cathédrale. Il avait le caractère aimable et gai. Il n'avait pas été trop tourmenté par la Révolution. Ses paroissiens l'aimaient parce qu'il était humain, tolérant, et prêchait en langage du pays.

Il chérissait son frère Jean, et, bon pour tout le monde, il me reçut et me traita comme si j'eusse été son neveu. Le souper fut agréable et le lendemain s'écoula gaiement. Le pays, ouvert d'un côté sur les vallées, n'était point triste ; de l'autre, il était enfoui et sombre, mais les bois de hêtres et de sapins pleins de fleurs et de fruits sauvages, coupés par des prairies humides d'une fraîcheur délicieuse[c], n'avaient rien qui me rappelât le site terrible de la roche Sanadoire ; les fantômes de titans qui m'avaient gâté le souvenir de ce bel endroit s'effacèrent de mon esprit.

On me laissa courir où je voulus, et je fis connaissance avec les bûcherons et les bergers, qui me chantèrent beaucoup de chansons[d]. Le curé, qui voulait fêter son frère et qui l'attendait, s'était approvisionné de son mieux, mais lui et moi faisions seuls honneur au festin. Maître Jean avait un médiocre appétit, comme les gens qui boivent sec. Le curé lui servit à discrétion le vin du cru, noir comme de l'encre, âpre au goût, mais vierge de tout alliage malfaisant, et, selon lui, incapable de faire mal à l'estomac.

Le jour suivant[e], je pêchai des truites avec le sacristain dans un petit réservoir que formait la rencontre de deux torrents et je m'amusai énormément[f] à écouter une mélodie naturelle que l'eau avait trouvée en se glissant dans une pierre creuse[g]. Je la fis remarquer au sacristain, mais il ne l'entendit pas et crut que je rêvais[3].

Enfin, le troisième jour, on se disposa à la séparation. Maître Jean voulait partir de bonne heure, disant que la route était longue, et l'on se mit à déjeuner avec le projet de manger vite et de boire peu.

Mais le curé prolongeait le service, ne pouvant se résoudre à nous laisser partir sans être bien lestés.

— Qui vous presse tant ? disait-il. Pourvu que vous soyez sortis en plein jour de la montagne, à partir de la descente de la roche Sanadoire vous rentrez en pays plat et plus vous approchez de Clermont, meilleure est la route. Avec cela, la lune est au plein et il n'y a pas un nuage au ciel[a]. Voyons, voyons, frère Jean, encore un verre de ce vin, de ce bon petit vin de *Chante-orgue* !

— Pourquoi *Chante-orgue* ? dit maître Jean.

— Eh ! ne vois-tu pas que Chanturgue vient de Chante-orgue ? C'est clair comme le jour et je n'ai pas été long à en découvrir l'étymologie.

— Il y a donc des orgues dans vos vignes ? demandai-je avec ma stupidité accoutumée.

— Certainement, répondit le bon curé. Il y en a plus d'un quart de lieue de long.

— Avec des tuyaux ?

— Avec des tuyaux tout droits comme à ton orgue de la cathédrale.

— Et qu'est-ce qui en joue ?

— Oh ! les vignerons avec leurs pioches.

— Qu'est-ce donc qui les a faites, ces orgues ?

—*Les titans* ! dit maître Jean en reprenant son ton railleur et doctoral.

— En effet, c'est bien dit, reprit le curé, émerveillé du génie de son frère. On peut dire que c'est l'œuvre des titans !

J'ignorais que l'on donnât le nom de *jeux d'orgues* aux cristallisations du basalte quand elles offrent de la régularité. Je n'avais jamais ouï parler des célèbres orgues basaltiques d'Espaly en Velay[4], ni de plusieurs autres très connues aujourd'hui et dont personne ne s'étonne plus. Je pris au pied de la lettre l'explication de M. le curé et je me félicitai[b] de n'être point descendu à la vigne, car toutes mes terreurs me reprenaient.

Le déjeuner se prolongea indéfiniment et devint un dîner, presque un souper. Maître Jean était enchanté de l'étymologie de Chanturgue et ne se lassait pas de répéter :

— Chante-orgue ! Joli vin, joli nom ! On l'a fait pour moi qui touche l'orgue, et agréablement, je m'en flatte ! Chante, petit vin, chante dans mon verre ! chante aussi dans ma tête ! Je te sens gros de fugues et de motets qui couleront de mes doigts comme tu coules de la bouteille ! A ta santé, frère ! Vivent les grandes orgues de Chanturgue ! vive mon petit orgue de la cathédrale, qui, tout de même, est aussi puissant sous ma main qu'il le serait sous celle d'un titan ! Bah ! je suis un titan aussi, moi ! Le génie grandit l'homme et chaque fois que j'entonne le *Gloria in excelsis,* j'escalade au ciel !

Le bon curé prenait sérieusement son frère pour un grand homme et il ne le grondait pas de ses accès de vanité délirante. Lui-même fêtait le vin de *Chante-orgue* avec l'attendrissement d'un frère qui reçoit les adieux prolongés de son frère bien-aimé ; si bien que le soleil commençait à baisser quand on m'ordonna d'aller habiller Bibi. Je ne répondrais pas que j'en fusse bien capable. L'hospitalité avait rempli bien souvent mon verre et la politesse m'avait fait un devoir de ne pas le laisser plein. Heureusement le sacristain m'aida, et, après de longs et tendres embrassements, les deux frères baignés de larmes se quittèrent au bord de la colline. Je montai en trébuchant sur l'échine de Bibi.

— Est-ce que, par hasard, monsieur serait ivre ? dit maître Jean en caressant mes oreilles de sa terrible cravache.

Mais il ne me frappa point. Il avait le bras singulièrement mou et les jambes très lourdes, car on eut beaucoup de peine à équilibrer ses étriers, dont l'un se trouvait alternativement plus long que l'autre.

Je ne sais point ce qui se passa jusqu'à la nuit. Je crois bien que je ronflais tout haut sans que le maître s'en aperçut. Bibi était si raisonnable que j'étais sans inquiétude[a]. Là où il avait passé une fois, il s'en souvenait toujours.

Je m'éveillai en le sentant s'arrêter brusquement et il me sembla que mon ivresse était tout à fait dissipée, car je me rendis fort vite compte de la situation. Maître Jean n'avait pas dormi, ou bien il s'était malheureusement réveillé à temps pour contrarier l'instinct de sa monture. Il l'avait engagée dans un faux chemin. Le docile Bibi avait obéi sans résistance ; mais voilà qu'il sentait le terrain manquer devant lui et qu'il se rejetait en arrière pour ne pas se précipiter avec nous dans l'abîme.

Je fus vite sur mes pieds, et je vis au-dessus de nous, à droite, la roche Sanadoire toute bleue au reflet de la lune, avec son jeu d'orgues contourné et sa couronne dentelée. Sa sœur jumelle, la roche Tuilière, était à gauche, de l'autre côté du ravin, l'abîme entre deux ; et nous, au lieu de suivre le chemin d'en haut, nous avions pris le sentier à mi-côte[b].

— Descendez, descendez ! criai-je au professeur de musique. Vous ne pouvez point passer là ! c'est un sentier pour les chèvres.

— Allons donc, poltron, répondit-il d'une voix forte, Bibi n'est-il point une chèvre ?

— Non, non, maître, c'est un cheval ; ne rêvez pas ! Il ne peut pas et il ne veut pas !

Et, d'un violent effort, je retirai Bibi du danger, mais non sans l'abattre un peu sur ses jarrets, ce qui força le maître à descendre plus vite qu'il n'eût voulu.

Ceci le mit dans une grande colère, bien qu'il n'eût aucun mal, et, sans tenir compte de l'endroit dangereux où nous nous trouvions, il chercha sa cravache pour m'administrer une de ces corrections qui n'étaient pas toujours anodines. J'avais tout mon sang-froid. Je ramassai la cravache avant lui, et, sans respect pour la pomme d'argent, je la jetai dans le ravin[c].

Heureusement pour moi, maître Jean ne s'en aperçut pas. Ses idées se succédèrent trop rapidement.

— Ah, Bibi ne veut pas ! disait-il, et Bibi ne peut pas ! Bibi n'est pas une chèvre ! Eh bien, moi, je suis une gazelle !

Et, en parlant ainsi, il se prit à courir devant lui, se dirigeant vers le précipice.

Malgré l'aversion qu'il m'inspirait dans ses accès de colère, je fus épouvanté et m'élançai sur ses traces. Mais, au bout d'un instant, je me tranquillisai. Il n'y avait point là de gazelle. Rien ne ressemblait moins à ce gracieux quadrupède que le professeur à ailes de pigeon[5] dont la queue[6], ficelée d'un ruban noir, sautait d'une épaule à l'autre avec une rapidité[d] convulsive lorsqu'il était ému. Son habit gris à longues basques, ses culottes de nankin et ses bottes molles le faisaient plutôt ressembler à un oiseau de nuit[a].

Je le vis bientôt s'agiter au-dessus de moi ; il avait quitté le sentier à pic, il lui restait assez de raison pour ne pas songer à descendre ; il remontait en gesticulant vers la roche Sanadoire, et, bien que le talus fût rapide, il n'était pas dangereux.

Je pris Bibi par la bride et l'aidai à virer de bord, ce qui n'était pas facile. Puis je remontai avec lui le sentier pour regagner la route ; je comptais y retrouver maître Jean, qui avait pris cette direction.

Je ne l'y trouvai pas, et, laissant le fidèle Bibi sur sa bonne foi, je redescendis à pied, en droite ligne, jusqu'à la roche Sanadoire. La lune éclairait vivement. J'y voyais comme en plein jour. Je ne fus donc pas longtemps sans découvrir maître Jean assis sur un débris, les jambes pendantes et reprenant haleine.

— Ah ! ah ! c'est toi, petit malheureux ! me dit-il. Qu'as-tu fait de mon pauvre cheval ?

— Il est là, maître, il vous attend, répondis-je.

— Quoi ! tu l'as sauvé ? Fort bien, mon garçon ! Mais comment as-tu fait pour te sauver toi-même ? Quelle effroyable chute, hein ?

— Mais, monsieur le professeur, nous n'avons pas fait de chute !

— Pas de chute ? L'idiot ne s'en est pas aperçu ! ce que c'est que le vin ! le vin !... O vin ! vin de Chanturgue, vin de Chante-Orgue... beau petit vin musical ! J'en boirais bien encore un verre ! Apporte, petit ! Viens çà, doux sacristain ! Frère, à ta santé ! A la santé des titans ! A la santé du diable !

J'étais un bon croyant. Les paroles du maître me firent frémir.

— Ne dites pas cela, maître, m'écriai-je. Revenez à vous, voyez où vous êtes !

— Où je suis ? reprit-il en promenant autour de lui ses yeux agrandis, d'où jaillissaient les éclairs du délire ; où je suis ? où dis-tu que je suis ? Au fond du torrent ? Je ne vois pas le moindre poisson !

— Vous êtes au pied de cette grande roche Sanadoire qui surplombe de tous les côtés. Il pleut des pierres ici, voyez, la terre en est couverte. N'y restons pas, maître. C'est un vilain endroit.

— Roche Sanadoire ! reprit le maître en cherchant à soulever sur son front son chapeau qu'il avait sous le bras. Roche *Sonatoire*, oui, c'est là ton vrai nom[b], je te salue entre toutes les roches ! Tu es le plus beau jeu d'orgues de la création. Tes tuyaux contournés doivent rendre des sons étranges, et la main d'un titan peut seule te faire chanter ! Mais ne suis-je pas un titan, moi ? Oui, j'en suis un, et, si un autre géant me dispute le droit de faire ici de la musique, qu'il se montre !... Ah ! ah ! oui-da ! Ma cravache, petit ? où est ma cravache ?

— Quoi donc, maître ? lui répondis-je épouvanté, qu'en voulez-vous faire ? est-ce que vous voyez ?...

— Oui, je vois, je le vois, le brigand ! le monstre ! ne le vois-tu pas aussi ?

— Non, où donc ?

— Eh parbleu ! là-haut, assis sur la dernière pointe de la fameuse roche *Sonatoire*, comme tu dis !

Je ne disais rien et ne voyais rien qu'une grosse pierre jaunâtre rongée par une mousse desséchée. Mais l'hallucination est contagieuse et celle du professeur me gagna d'autant mieux que j'avais peur de voir ce qu'il voyait.

— Oui, oui, lui dis-je, au bout d'un instant d'angoisse inexprimable, je le vois, il ne bouge pas, il dort ! Allons-nous-en ! Attendez ! Non, non, ne bougeons pas[a] et taisons-nous, je le vois à présent qui remue !

— Mais je veux qu'il me voie ! je veux surtout qu'il m'entende ! s'écria le professeur en se levant avec enthousiasme. Il a beau être là, perché sur son orgue, je prétends lui enseigner la musique, à ce barbare ! — Oui, attends, brute ! je vais te régaler d'un *Introït*[7] de ma façon. — A moi, petit ! où es-tu ? Vite au soufflet ! Dépêche !

119

— Le soufflet ? Quel soufflet ? Je ne vois pas...

— Tu ne vois rien ! là, là, te dis-je !

Et il me montrait une grosse tige d'arbrisseau qui sortait de la roche un peu au-dessous des tuyaux, c'est-à-dire des prismes du basalte. On sait que ces colonnettes de pierre sont souvent fendues et comme craquelées de distance en distance, et qu'elles se détachent avec une grande facilité si elles reposent sur une base friable qui vienne à leur manquer.

Les flancs de la roche Sanadoire étaient revêtus de gazon et de plantes qu'il n'était pas prudent d'ébranler. Mais ce danger réel ne me préoccupait nullement, j'étais tout entier au péril imaginaire d'éveiller et d'irriter le titan. Je refusai net d'obéir. Le maître s'emporta, et, me prenant au collet avec une force vraiment surhumaine, il me plaça devant une pierre naturellement taillée en tablette qu'il lui plaisait d'appeler le clavier de l'orgue.

— Joue mon *Introït*, me cria-t-il aux oreilles, joue-le, tu le sais ! Moi, je vais souffler, puisque tu n'en as pas le courage !

Et il s'élança, gravit la base herbue de la roche et se hissa jusqu'à l'arbrisseau qu'il se mit à balancer de haut en bas comme si c'eût été le manche d'un soufflet, en me criant :

— Allons, commence, et ne nous trompons pas ! *Allegro,* mille tonnerres ! *allegro risoluto !*[a]

— Et toi, orgue, chante ! chante, *orgue !* chante *urgue !*...

Jusque-là, pensant, par moments, qu'il avait le vin gai et se moquait de moi, j'avais eu quelque espoir de l'emmener. Mais, le voyant souffler son orgue imaginaire avec une ardente conviction, je perdis tout à fait l'esprit, j'entrai dans son rêve que le vin de Chanturgue largement fêté rendait peut-être essentiellement musical. La peur fit place à je ne sais quelle imprudente curiosité comme on l'a dans les songes, j'étendis mes mains sur le prétendu clavier et je remuai les doigts.

Mais alors quelque chose de vraiment extraordinaire se passa en moi. Je vis mes mains grossir, grandir et prendre des proportions colossales. Cette transformation rapide ne se fit pas sans me causer une souffrance telle que je ne l'oublierai de ma vie. Et, à mesure que mes mains devenaient celles d'un titan, le chant de l'orgue que je croyais entendre acquérait une puissance effoyable. Maître Jean croyait l'entendre aussi, car il me criait :

— Ce n'est pas l'*Introït* ! Qu'est-ce que c'est ? Je ne sais pas ce que c'est, mais ce doit être de moi, c'est sublime !

— Ce n'est pas de vous, lui répondis-je, car nos voix devenues titanesques couvraient les tonnerres de l'instrument fantastique ; non, ce n'est pas de vous, c'est de moi.

Et je continuais à développer le motif étrange, sublime ou stupide, qui surgissait dans mon cerveau. Maître Jean soufflait toujours avec fureur et je jouais toujours avec transport ; l'orgue rugissait, le titan ne bougeait pas ; j'étais ivre d'orgueil et de joie, je me croyais à l'orgue de la cathédrale de Clermont, charmant une foule enthousiaste, lorsqu'un bruit sec et strident comme celui d'une vitre brisée[a] m'arrêta net. Un fracas épouvantable et qui n'avait plus rien de musical, se produisit au-dessus de moi, il me sembla que la roche Sanadoire oscillait sur sa base. Le clavier reculait et le sol se dérobait sous mes pieds. Je tombai à la renverse et je roulai au milieu d'une pluie de pierres. Les basaltes s'écroulaient, maître Jean, lancé avec l'arbuste qu'il avait déraciné, disparaissait sous les débris : nous étions foudroyés.

Ne me demandez pas ce que je pensai et ce que je fis pendant les deux ou trois heures qui suivirent : j'étais fort blessé à la tête et mon sang m'aveuglait. Il me semblait avoir les jambes écrasées et les reins brisés. Pourtant, je n'avais rien de grave, puisque, après m'être traîné sur les mains et les genoux, je me trouvai insensiblement debout et marchant devant moi. Je n'avais qu'une idée dont j'aie gardé souvenir, chercher maître Jean ; mais je ne pouvais l'appeler, et, s'il m'eût répondu, je n'eusse pu l'entendre. J'étais sourd et muet dans ce moment-là.

Ce fut lui qui me retrouva et m'emmena. Je ne recouvrai mes esprits qu'auprès de ce petit lac Servières[8] où nous nous étions arrêtés trois jours auparavant. J'étais étendu sur le sable du rivage. Maître Jean lavait mes blessures et les siennes, car il était fort maltraité aussi. Bibi broutait aussi philosophiquement que de coutume, sans s'éloigner de nous.

Le froid avait dissipé les dernières influences du fatal vin de Chanturgue.

— Eh bien, mon pauvre petit, me dit le professeur en étanchant mon front avec son mouchoir trempé dans l'eau glacée du lac, commences-tu à te ravoir[9] ? peux-tu parler à présent ?

— Je me sens bien, répondis-je. Et vous, maître, vous n'étiez donc pas mort ?

— Apparemment ; j'ai du mal aussi, mais ce ne sera rien. Nous l'avons échappé belle !

En essayant de rassembler mes souvenirs confus[b], je me mis à chanter.

— Que diable chantes-tu là ?[c] dit maître Jean surpris. Tu as une singulière manière d'être malade, toi ! Tout à l'heure, tu ne pouvais ni parler ni entendre, et à présent monsieur siffle comme un merle ! Qu'est-ce que c'est que cette musique-là ?

— Je ne sais pas, maître.

— Si fait ; c'est une chose que tu sais, puisque tu la chantais quand la roche[a] s'est ruée sur nous.

— Je chantais dans ce moment-là ? Mais non, je jouais l'orgue, le grand orgue du titan !

— Allons, bon ! te voilà fou, à présent ? As-tu pu prendre au sérieux la plaisanterie que je t'ai faite ?[b]

La mémoire me revenait très nette.

— C'est vous qui ne vous souvenez pas, lui dis-je ; vous ne plaisantiez pas du tout. Vous souffliez l'orgue comme un beau diable !

Maître Jean avait été si réellement ivre, qu'il ne se rappelait et ne se rappela jamais rien de l'aventure. Il n'avait été dégrisé que par l'écroulement d'un pan de la roche Sanadoire, le danger que nous avions couru et les blessures que nous avions reçues. Il n'avait conscience que du motif, inconnu à lui, que j'avais chanté et de la manière étonnante dont ce motif avait été redit cinq fois par les échos merveilleux mais bien connus de la roche Sanadoire. Il voulut se persuader que c'était la vibration de ma voix qui avait provoqué l'écroulement ; à quoi je lui répondis que c'était la rage obstinée avec laquelle il avait secoué et déraciné l'arbuste qu'il avait pris pour un manche de soufflet. Il soutint que j'avais rêvé, mais il ne put jamais expliquer comment, au lieu de[c] chevaucher tranquillement sur la route, nous étions descendus à mi-côte du ravin pour nous amuser à *folâtrer* autour de la roche Sanadoire.

Quand nous eûmes bandé nos plaies et bu assez d'eau pour bien enterrer le vin de Chanturgue, nous reprîmes notre route ; mais nous étions si las et si affaiblis, que nous dûmes nous arrêter à la petite auberge au bout du désert. Le lendemain, nous étions si courbatus, qu'il nous fallut garder le lit. Le soir, nous vîmes arriver le bon curé de Chanturgue fort effrayé ; on avait trouvé le chapeau de maître Jean et des traces de sang sur les débris fraîchement tombés de la roche Sanadoire. A ma grande satisfaction, le torrent avait emporté la cravache.

Le digne homme nous soigna fort bien. Il voulait nous ramener chez lui, mais l'organiste[a] ne pouvait manquer à la grand'messe du dimanche et nous revînmes à Clermont le jour suivant.

Il avait la tête encore affaiblie ou troublée quand il se retrouva devant un orgue plus inoffensif que celui de la Sanadoire. La mémoire lui manqua deux ou trois fois et il dut improviser, ce qu'il faisait[b] de son propre aveu très médiocrement, bien qu'il se piquât de composer[c] des chefs-d'œuvre à tête reposée.

A l'élévation, il se sentit pris de faiblesse et me fit signe de m'asseoir à sa place. Je n'avais jamais joué que devant lui et je n'avais aucune idée de ce que je pourrais devenir en musique.

Maître Jean n'avait jamais terminé une leçon sans décréter que j'étais un âne. Un moment je fus presque aussi ému que je l'avais été devant l'orgue du titan. Mais l'enfance a ses accès de confiance spontanée ; je pris courage, je jouai le motif qui avait frappé le maître au moment de la catastrophe et qui, depuis ce moment-là, n'était pas sorti de ma tête.

Ce fut un succès qui décida de toute ma vie, vous allez voir comment.

Après la messe, M. le grand vicaire[d], qui était un mélomane très érudit en musique sacrée, fit mander maître Jean dans la salle du chapitre.

— Vous avez du talent, lui dit-il, mais il ne faut point manquer de discernement. Je vous ai déjà blâmé d'improviser ou de composer des motifs qui ont du mérite, mais que vous placez hors de saison, tendres ou sautillants quand ils doivent être sévères, menaçants et comme irrités quand ils doivent être humbles et suppliants. Ainsi, aujourd'hui, à l'élévation, vous nous avez fait entendre un véritable chant de guerre. C'était fort beau, je dois l'avouer, mais c'était un sabbat et non un *Adoremus*.

J'étais[e] derrière maître Jean pendant que le grand vicaire lui parlait, et le cœur me battait bien fort. L'organiste s'excusa naturellement en disant qu'il s'était trouvé indisposé, et qu'un enfant de chœur, son élève, avait tenu l'orgue à l'élévation.

— Est-ce vous, mon petit ami ? dit le vicaire[a] en voyant ma figure émue.

— C'est lui, répondit maître Jean, c'est ce petit âne !

— Ce petit âne a fort bien joué, reprit le grand vicaire en riant. Mais pourriez-vous me dire, mon enfant, quel est ce motif qui m'a frappé ? J'ai bien vu que c'était quelque chose de remarquable, mais je ne saurais dire où cela existe.

— Cela n'existe que dans ma tête, répondis-je avec assurance. Cela m'est venu... dans la montagne.

— T'en est-il venu d'autres ?

— Non, c'est la première fois que quelque chose m'est venu.

— Pourtant...

— Ne faites pas attention, reprit l'organiste, il ne sait ce qu'il dit, c'est une réminiscence !

— C'est possible, mais de qui ?

— De moi probablement ; on jette tant d'idées au hasard quand on compose ! le premier venu ramasse les bribes !

— Vous auriez dû ne pas laisser perdre cette bribe-là, reprit le grand vicaire avec malice ; elle vaut une grosse pièce.

Il se retourna vers moi en ajoutant :

— Viens chez moi demain après ma messe basse, je veux t'examiner.

Je fus exact. Il avait eu le temps de faire ses recherches. Nulle part il n'avait trouvé mon motif. Il avait chez lui un beau piano et me fit improviser. D'abord je fus troublé et il ne me vint que du gâchis ; puis, peu à peu, mes idées s'éclaircirent et le prélat fut si content de moi, qu'il manda maître Jean et me recommanda à lui comme son protégé tout spécial. C'était lui dire que mes leçons lui seraient bien payées. Le professeur me retira donc de la cuisine et de l'écurie, me traita avec plus de douceur et, en peu d'années, m'enseigna tout ce qu'il savait. Mon protecteur vit bien alors que je pouvais aller plus loin et que le petit âne était plus laborieux et mieux doué que son maître. Il m'envoya à Paris, où je fus, très jeune encore, en état de donner des leçons[b] et de jouer dans les concerts. Mais ce n'est pas l'histoire de ma vie entière que je vous ai promise ; ce serait trop long, et vous savez maintenant ce que vous vouliez savoir : comment une grande frayeur, à la suite d'un accès d'ivresse, développa en moi une faculté refoulée par la rudesse et le dédain du maître qui eût dû la développer. Je n'en bénis pas moins son souvenir. Sans sa vanité et son ivrognerie, qui exposèrent ma raison et ma vie à la roche Sanadoire, ce qui couvait en moi n'en fût peut-être jamais sorti. Cette folle aventure qui m'a fait éclore, m'a pourtant laissé une susceptibilité nerveuse qui est une souffrance[a]. Parfois, en improvisant[b], j'imagine entendre l'écroulement du roc sur ma tête et sentir mes mains grossir comme celles du Moïse de Michel-Ange[10]. Cela ne dure qu'un instant, mais cela ne s'est point guéri entièrement, et vous voyez que l'âge ne m'en a pas débarrassé.

— Mais, dit le docteur[c] au maestro quand il eut terminé son récit, à quoi attribuez-vous cette dilatation fictive de vos mains, cette souffrance qui vous saisit à la roche Sanadoire avant son trop réel écroulement ?

— Je ne peux l'attribuer, répondit le maestro, qu'à des orties ou à des ronces qui poussaient sur le prétendu clavier. Vous voyez, mes amis, que tout est symbolique dans mon histoire. La révélation de mon avenir fut complète : des illusions, du bruit... et des épines !

Ce que disent les fleurs[a]

Quand j'étais enfant, ma chère Aurore, j'étais très tourmentée de ne pouvoir saisir ce que les fleurs se disaient entre elles. Mon professeur de botanique m'assurait qu'elles ne disaient rien; soit qu'il fût sourd, soit qu'il ne voulût pas me dire la vérité[a], il jurait qu'elles ne disaient rien du tout[1].

Je savais bien le contraire. Je les entendais babiller confusément, surtout à la rosée du soir; mais elles parlaient trop bas pour que je pusse distinguer leurs paroles; et puis elles étaient méfiantes, et, quand je passais près des plates-bandes du jardin ou sur le sentier du pré, elles s'avertissaient par une espèce de *psitt*, qui courait de l'une à l'autre. C'était comme si l'on eût dit sur toute la ligne : « Attention, taisons-nous ! voilà l'enfant curieux qui nous écoute. »

Je m'y obstinai. Je m'exerçai à marcher si doucement, sans frôler le plus petit brin d'herbe, qu'elles ne m'entendirent plus et que je pus m'avancer tout près, tout près; alors, en me baissant sous l'ombre des arbres pour qu'elles ne vissent pas la mienne, je saisis enfin des paroles articulées.

Il fallait beaucoup d'attention ; c'était de si petites voix, si douces, si fines, que la moindre brise les emportait et que le bourdonnement des sphinx et des noctuelles les couvrait absolument.

Je ne sais pas quelle langue elles parlaient. Ce n'était ni le français, ni le latin qu'on m'apprenait alors ; mais il se trouva que je comprenais fort bien. Il me sembla même que je comprenais mieux ce langage que tout ce que j'avais entendu jusqu'alors.

Un soir, je réussis à me coucher sur le sable et à ne plus rien perdre de ce qui se disait auprès de moi dans un coin bien abrité du parterre. Comme tout le monde parlait dans tout le jardin, il ne fallait pas s'amuser à vouloir surprendre plus d'un secret en une fois. Je me tins donc là bien tranquille, et voici ce que j'entendis dans les coquelicots :

— Mesdames et messieurs, il est temps d'en finir avec cette platitude. Toutes les plantes sont également nobles[a] ; notre famille ne le cède à aucune autre, et, accepte qui voudra la royauté de la rose, je déclare que j'en ai assez et que je ne reconnais à personne le droit de se dire mieux né et plus titré que moi[b].

A quoi les marguerites répondirent toutes ensemble que l'orateur coquelicot avait raison. Une d'elles, qui était plus grande que les autres et fort belle, demanda la parole et dit :

— Je n'ai jamais compris les grands airs que prend la famille des roses. En quoi, je vous le demande, une rose est-elle plus jolie et mieux faite que moi ? La nature et l'art se sont entendues pour multiplier le nombre de nos pétales et l'éclat de nos couleurs. Nous sommes même beaucoup plus riches, car la plus belle rose n'a guère plus de deux cents pétales et nous en avons jusqu'à cinq cents. Quant aux couleurs, nous avons le violet et presque le bleu pur que la rose ne trouvera jamais.

— Moi, dit un grand pied d'alouette vivace, moi le prince Delphinium, j'ai l'azur des cieux dans ma corolle, et mes nombreux parents ont toutes les nuances du rose. La prétendue reine des fleurs a donc beaucoup à nous envier, et, quant à son parfum si vanté...

— Ne parlez pas de cela, reprit vivement le coquelicot. Les hâbleries du parfum me portent sur les nerfs. Qu'est-ce, je vous prie, que le parfum ? Une convention établie par les jardiniers et les papillons. Moi, je trouve que la rose sent mauvais[c] et que c'est moi qui embaume.

— Nous ne sentons rien, dit la marguerite, et je crois que par là nous faisons preuve de tenue et de bon goût[d]. Les odeurs sont des indiscrétions ou des vanteries. Une plante qui se respecte ne s'annonce point par des émanations. Sa beauté doit lui suffire.

— Je ne suis pas de votre avis, s'écria un gros pavot qui sentait très fort. Les odeurs annoncent l'esprit et la santé.

Les rires couvrirent la voix du gros pavot. Les œillets s'en tenaient les côtes et les résédas se pâmaient. Mais, au lieu de se fâcher, il se remit à critiquer la forme et la couleur de la rose qui ne pouvait répondre; tous les rosiers venaient d'être taillés et les pousses remontantes n'avaient encore que de petits boutons bien serrés dans leurs langes verts. Une pensée fort richement vêtue critiqua amèrement les fleurs doubles, et, comme celles-ci étaient en majorité dans le parterre, on commença à se fâcher. Mais il y avait tant de jalousie contre la rose, qu'on se réconcilia pour la railler et la dénigrer. La pensée eut même du succès quand elle compara la rose à un gros chou pommé, donnant la préférence à celui-ci à cause de sa taille et de son utilité. Les sottises que j'entendais m'exaspérèrent et, tout à coup, parlant leur langue :

— Taisez-vous, m'écriai-je en donnant un coup de pied à ces sottes fleurs. Vous ne dites rien qui vaille. Moi qui m'imaginais entendre ici des merveilles de poésie, quelle déception vous me causez avec vos rivalités, vos vanités et votre basse envie !

Il se fit un profond silence et je sortis du parterre[a].

— Voyons donc, me disais-je, si les plantes rustiques ont plus de bon sens que ces péronnelles cultivées, qui, en recevant de nous une beauté d'emprunt, semblent avoir pris nos préjugés et nos travers.

Je me glissai dans l'ombre de la haie touffue, me dirigeant vers la prairie; je voulais savoir si les spirées qu'on appelle reine des prés avaient aussi de l'orgueil et de l'envie. Mais je m'arrêtai auprès d'un grand églantier dont toutes les fleurs parlaient ensemble.

— Tâchons de savoir, pensai-je, si la rose sauvage dénigre la rose à cent feuilles et méprise la rose pompon.

Il faut vous dire que, dans mon enfance, on n'avait pas créé toutes ces variétés de roses que les jardiniers savants ont réussi à produire depuis, par la greffe et les semis. La nature n'en était pas plus pauvre pour cela. Nos buissons étaient remplis de variétés nombreuses de roses à l'état rustique : la *canina*, ainsi nommée parce qu'on la croyait un remède contre la morsure des chiens enragés; la rose canelle, la musquée, la *rubiginosa* ou rouillée, qui est une des plus jolies; la rose pimprenelle, la *tomentosa* ou cotonneuse, la rose alpine, etc., etc. Puis, dans les jardins, nous avions des espèces charmantes à peu près perdues aujourd'hui, une panachée rouge et blanc qui n'était pas très fournie en pétales, mais qui montrait sa couronne d'étamines d'un beau jaune vif et qui avait le parfum de la bergamotte. Elle était rustique au possible, ne craignant ni les étés secs ni les hivers rudes; la rose pompon, grand et petit modèle, qui est devenue excessivement rare; la petite rose de mai, la plus précoce et peut-être la plus parfumée de toutes, qu'on demanderait en vain aujourd'hui dans le commerce, la rose de Damas ou de Provins que nous savions utiliser et qu'on est obligé, à présent, de demander au midi de la France; enfin, la rose à cent feuilles ou, pour mieux dire, à cent pétales, dont la patrie est inconnue et que l'on attribue généralement à la culture[2].

C'est cette rose *centifolia* qui était alors, pour moi comme pour tout le monde, l'idéal de la rose, et je n'étais pas persuadée, comme l'était mon précepteur, qu'elle fût un monstre dû à la science des jardiniers. Je lisais dans mes poètes que la rose était de toute antiquité le type de la beauté et du parfum. A coup sûr, ils ne connaissaient pas nos roses thé qui ne sentent plus la rose, et toutes ces variétés charmantes qui, de nos jours, ont diversifié à l'infini, mais en l'altérant essentiellement, le vrai type de la rose. On m'enseignait alors la botanique. Je n'y mordais qu'à ma façon. J'avais l'odorat fin et je voulais que le parfum fût un des caractères essentiels de la plante; mon professeur, qui prenait du tabac, ne m'accordait pas ce critérium de classification. Il ne sentait plus que le tabac, et, quand il flairait une autre plante[a], il lui communiquait des propriétés sternutatoires tout à fait avilissantes. J'écoutai donc de toutes mes oreilles ce que disaient les églantiers au-dessus de ma tête, car, dès les premiers mots que je pus saisir, je vis qu'ils parlaient des origines de la rose.

— Reste ici, doux zéphyr, disaient-ils, nous sommes fleuris. Les belles roses du parterre dorment encore dans leurs boutons verts. Vois, nous sommes fraîches et riantes, et, si tu nous berces un peu, nous allons répandre des parfums aussi suaves que ceux de notre illustre reine.

J'entendis alors le zéphyr qui disait :

— Taisez-vous, vous n'êtes que des enfants du Nord. Je veux bien causer un instant avec vous, mais n'ayez pas l'orgueil de vous égaler à la reine des fleurs.

— Cher zéphyr, nous la respectons et nous l'adorons, répondirent les fleurs de l'églantier; nous savons comme les autres fleurs du jardin en sont jalouses. Elles prétendent qu'elle n'est rien de plus que nous, qu'elle est fille de l'églantier et ne doit sa beauté qu'à la greffe et à la culture. Nous sommes des ignorantes et ne savons pas répondre. Dis-nous, toi qui es plus ancien que nous sur la terre, si tu connais la véritable origine de la rose.

— Je vous la dirai, car c'est ma propre histoire, écoutez-la, et ne l'oubliez jamais.

Et le zéphyr raconta ceci :

— Au temps où les êtres et les choses de l'univers parlaient encore la langue des dieux, j'étais le fils aîné du roi des orages. Mes ailes noires touchaient les deux extrémités des plus vastes horizons, ma chevelure immense s'emmêlait aux nuages. Mon aspect était épouvantable et sublime, j'avais le pouvoir de rassembler les nuées du couchant et de les étendre comme un voile impénétrable entre la terre et le soleil.

« Longtemps je régnai avec mon père et mes frères sur la planète inféconde. Notre mission était de détruire et de bouleverser. Mes frères et moi, déchaînés sur tous les points de ce misérable petit monde, nous semblions ne devoir jamais permettre à la vie de paraître sur cette scorie informe que nous appelons aujourd'hui la terre des vivants. J'étais le plus robuste et le plus furieux de tous. Quand le roi mon père était las, il s'étendait sur le sommet des nuées et se reposait sur moi du soin

133

de continuer l'œuvre de l'implacable destruction. Mais, au sein de cette terre, inerte encore, s'agitait un esprit, une divinité puissante, l'esprit de la vie, qui voulait être, et qui, brisant les montagnes, comblant les mers, entassant les poussières, se mit un jour à surgir de toutes parts. Nos efforts redoublèrent et ne servirent qu'à hâter l'éclosion d'une foule d'êtres qui nous échappaient par leur petitesse ou nous résistaient par leur faiblesse même; d'humbles plantes flexibles, de minces coquillages flottants prenaient place sur la croûte encore tiède de l'écorce terrestre, dans les limons, dans les eaux, dans les détritus de tout genre. Nous roulions en vain les flots furieux sur ces créations ébauchées. La vie naissait et apparaissait sans cesse sous des formes nouvelles, comme si le génie patient et inventif de la création eût résolu d'adapter les organes et les besoins de tous les êtres au milieu tourmenté que nous leur faisions.

« Nous commencions à nous lasser de cette résistance passive en apparence, irréductible en réalité. Nous détruisions des races entières d'êtres vivants, d'autres apparaissaient organisés pour nous subir sans mourir. Nous étions épuisés de rage. Nous nous retirâmes sur le sommet des nuées pour délibérer et demander à notre père des forces nouvelles.

« Pendant qu'il nous donnait de nouveaux ordres, la terre un instant délivrée de nos fureurs se couvrit de plantes innombrables[a] où des myriades d'animaux ingénieusement conformés dans leurs différents types, cherchèrent leur abri et leur nourriture dans d'immenses forêts ou sur les flancs de puissantes montagnes, ainsi que dans les eaux épurées de lacs immenses.

« — Allez, nous dit mon père, le roi des orages, voici la terre qui s'est parée comme une fiancée pour épouser le soleil. Mettez-vous entre eux. Entassez les nuées énormes, mugissez, et que votre souffle renverse les forêts, aplanisse les monts et déchaîne les mers. Allez, et ne revenez pas, tant qu'il y aura encore un être vivant, une plante debout sur cette arène maudite où la vie prétend s'établir en dépit de nous.

« Nous nous dispersâmes comme une semence de mort sur les deux hémisphères, et moi, fendant comme un aigle le rideau des nuages, je m'abattis sur les antiques contrées de l'extrême Orient, là où de profondes dépressions du haut plateau asiatique s'abaissant vers la mer sous un ciel de feu, font éclore, au sein d'une humidité énergique, les plantes gigantesques et les animaux redoutables. J'étais reposé des fatigues subies, je me sentais doué d'une force incommensurable, j'étais fier d'apporter le désordre et la mort à tous ces faibles qui semblaient me braver. D'un coup d'aile, je rasais toute une contrée; d'un souffle, j'abattais toute une forêt, et je sentais en moi une joie aveugle, enivrée, la joie d'être plus fort que toutes les forces de la nature.

« Tout à coup un parfum passa en moi comme par une aspiration inconnue à mes organes, et, surpris d'une sensation si nouvelle, je m'arrêtai pour m'en rendre compte. Je vis alors pour la première fois un être qui était apparu sur la terre en mon absence, un être frais, délicat, imperceptible, la rose !

« Je fondis sur elle pour l'écraser. Elle plia, se coucha sur l'herbe et me dit :

« — Prends pitié ! je suis si belle et si douce ! respire-moi, tu m'épargneras.

« Je la respirai et une ivresse soudaine abattit ma fureur. Je me couchai sur l'herbe et je m'endormis auprès d'elle.

« Quand je m'éveillai, la rose s'était relevée[a] et se balançait mollement, bercée par mon haleine apaisée.

« — Sois mon ami, me dit-elle. Ne me quitte plus. Quand tes ailes terribles sont pliées, je t'aime et te trouve beau. Sans doute tu es le roi de la forêt. Ton souffle adouci est un chant délicieux. Reste avec moi, ou prends-moi avec toi, afin que j'aille voir de plus près le soleil et les nuages.

« Je mis la rose dans mon sein et je m'envolai avec elle. Mais bientôt il me sembla qu'elle se flétrissait; alanguie, elle ne pouvait plus me parler; son parfum, cependant, continuait à me charmer, et moi, craignant de l'anéantir, je volais doucement, je caressais la cime des arbres[b], j'évitais le moindre choc. Je remontai ainsi avec précaution jusqu'au palais de nuées sombres où m'attendait mon père.

« — Que veux-tu ? me dit-il, et pourquoi as-tu laissé debout cette forêt que je vois encore sur les rivages de l'Inde ? Retourne l'exterminer au plus vite.

« — Oui, répondis-je en lui montrant la rose, mais laisse-moi te confier ce trésor que je veux sauver.

« — Sauver ! s'écria-t-il en rugissant de colère; tu veux sauver quelque chose ?

« Et, d'un souffle, il arracha de ma main la rose[c], qui disparut dans l'espace en semant ses pétales flétris.

« Je m'élançai pour ressaisir au moins un vestige; mais le roi, irrité et implacable, me saisit à mon tour, me coucha, la poitrine sur son genou, et, avec violence, m'arracha mes ailes, dont les plumes allèrent dans l'espace rejoindre les feuilles dispersées de la rose.

« — Misérable enfant, me dit-il, tu as connu la pitié, tu n'es plus mon fils. Va-t'en rejoindre sur la terre le funeste esprit de la vie qui me brave, nous verrons s'il fera de toi quelque chose, à présent que, grâce à moi, tu n'es plus rien.

« Et, me lançant dans les abîmes du vide, il m'oublia à jamais.

« Je roulai jusqu'à la clairière et me trouvai anéanti à côté de la rose, plus riante et plus embaumée que jamais.

« — Quel est ce prodige ? Je te croyais morte et je te pleurais. As-tu le don de renaître après la mort ?

« — Oui, répondit-elle, comme toutes les créatures que l'esprit de vie féconde. Vois ces boutons qui m'environnent. Ce soir, j'aurai perdu mon éclat et je travaillerai à mon renouvellement, tandis que mes sœurs te charmeront de leur beauté et te verseront les parfums de leur journée de fête. Reste avec nous ; n'es-tu pas notre compagnon et notre ami ?

« J'étais si humilié de ma déchéance, que j'arrosais de mes larmes cette terre à laquelle je me sentais à jamais rivé. L'esprit de la vie sentit mes pleurs et s'en émut. Il m'apparut sous la forme d'un ange radieux et me dit :

« — Tu as connu la pitié, tu as eu pitié de la rose, je veux avoir pitié de toi. Ton père est puissant, mais je le suis plus que lui, car il peut détruire et, moi, je peux créer.

« En parlant ainsi, l'être brillant me toucha et mon corps devint celui d'un bel enfant avec un visage semblable au coloris de la rose. Des ailes de papillon sortirent de mes épaules et je me mis à voltiger avec délices.

« — Reste avec les fleurs, sous le frais abri des forêts, me dit la fée. A présent, ces dômes de verdure te cacheront et te protégeront. Plus tard, quand j'aurai vaincu la rage des éléments, tu pourras parcourir la terre, où tu seras béni par les hommes et chanté par les poètes. — Quant à toi, rose charmante qui, la première as su désarmer la fureur[a] par la beauté, sois le signe de la future réconciliation des forces aujourd'hui ennemies de la nature. Tu seras aussi l'enseignement des races futures, car ces races civilisées voudront faire servir toutes choses à leurs besoins. Mes dons les plus précieux, la grâce, la douceur et la beauté risqueront de leur sembler d'une moindre valeur que la richesse et la force. Apprends-leur, aimable rose, que la plus grande et la plus légitime puissance est celle qui charme et réconcilie. Je te donne ici un titre que les siècles futurs n'oseront pas t'ôter. Je te proclame reine des fleurs ; les royautés que j'institue sont divines et n'ont qu'un moyen d'action, le charme.

« Depuis ce jour, j'ai vécu en paix avec le ciel, chéri des hommes[b], des animaux et des plantes ; ma libre et divine origine me laisse le choix de résider où il me plaît, mais je suis trop l'ami de la terre et le serviteur de la vie à laquelle mon souffle bienfaisant contribue, pour quitter cette terre chérie où mon premier et éternel amour me retient. Oui, mes chères petites, je suis le fidèle amant de la rose et par conséquent votre frère et votre ami. »

— En ce cas, s'écrièrent toutes les petites roses de l'églantier, donne-nous le bal et réjouissons-nous en chantant les louanges de madame la reine, la rose à cent feuilles de l'Orient.

Le zéphyr agita ses jolies ailes et ce fut au-dessus de ma tête une danse effrénée, accompagnée de frôlements de branches et de claquements de feuilles en guise de timbales et de castagnettes : il arriva bien à quelques petites folles de déchirer leur robe de bal et de semer leurs pétales dans mes cheveux; mais elles n'y firent pas attention et dansèrent de plus belle en chantant :

— Vive la belle rose dont la douceur a vaincu le fils des orages ! vive le bon zéphyr qui est resté l'ami des fleurs !

Quand je racontai à mon précepteur ce que j'avais entendu, il déclara que j'étais malade et qu'il fallait m'administrer un purgatif. Mais ma grand'mère m'en préserva en lui disant :

— Je vous plains si vous n'avez jamais entendu ce que disent les roses. Quant à moi, je regrette le temps où je l'entendais. C'est une faculté de l'enfance. Prenez garde de confondre les facultés avec les maladies !

Le Marteau rouge

J'ai trahi pour vous, mes enfants, le secret du vent et des roses. Je vais vous raconter maintenant l'histoire d'un caillou. Mais je vous tromperais si je vous disais que les cailloux parlent comme les fleurs. S'ils disent quelque chose, lorsqu'on les frappe, nous ne pouvons l'entendre que comme un bruit sans paroles. Tout dans la nature a une voix, mais nous ne pouvons attribuer la parole qu'aux êtres. Une fleur est un être pourvu d'organes et qui participe largement à la vie universelle. Les pierres ne vivent pas, elles ne sont que les ossements d'un grand corps, qui est la planète, et, ce grand corps, on peut le considérer comme un être; mais les fragments de son ossature ne sont pas plus des êtres par eux-mêmes qu'une phalange de nos doigts ou une portion de notre crâne n'est un être humain.

C'était pourtant un beau caillou, et ne croyez pas que vous eussiez pu le mettre dans votre poche, car il mesurait peut-être un mètre sur toutes ses faces. Détaché d'une roche de cornaline, il était cornaline lui-même, non pas de la couleur de ces vulgaires silex sang de bœuf qui jonchent nos chemins, mais d'un rose chair veiné de parties ambrées, et transparent comme

141

un cristal. Vitrification splendide, produite par l'action des feux plutoniens[1] sur l'écorce siliceuse de la terre, il avait été séparé de sa roche par une dislocation, et il brillait au soleil, au milieu des herbes, tranquille et silencieux depuis des siècles dont je ne sais pas le compte. La fée Hydrocharis[2] vint enfin un jour à le remarquer. La fée Hydrocharis (*beauté des eaux*) était amoureuse des ruisseaux clairs et tranquilles, parce qu'elle y faisait pousser ses plantes favorites, que je ne vous nommerai pas, vu que vous les connaissez maintenant et que vous les chérissez aussi.

La fée avait du dépit, car, après une fonte de neiges assez considérable sur les sommets de montagnes, le ruisseau avait ensablé de ses eaux troublées et grondeuses les tapis de fleurs et de verdure que la fée avait caressés et bénis la veille. Elle s'assit sur le gros caillou et, contemplant le désastre, elle se fit ce raisonnement :

— La fée des glaciers, ma cruelle ennemie, me chassera de cette région, comme elle m'a chassée déjà des régions qui sont au-dessus et qui, maintenant, ne sont plus que des amas de ruines. Ces roches entraînées par les glaces, ces moraines stériles où la fleur ne s'épanouit plus, où l'oiseau ne chante plus, où le froid et la mort règnent stupidement, menacent de s'étendre sur mes riants herbages et sur mes bosquets embaumés. Je ne puis résister, le néant veut triompher ici de la vie, le destin aveugle et sourd est contre moi. Si je connaissais, au moins, les projets de l'ennemi, j'essayerais de lutter. Mais ces secrets ne sont confiés qu'aux ondes fougueuses dont les mille voix confuses me sont inintelligibles. Dès qu'elles arrivent à mes lacs et à mes étangs, elles se taisent, et, sur mes pentes sinueuses, elles se laissent glisser sans bruit. Comment les décider à parler de ce qu'elles savent des hautes régions d'où elles descendent et où il m'est interdit de pénétrer ?

La fée se leva, réfléchit encore, regarda autour d'elle et accorda enfin son attention au caillou qu'elle avait jusque-là méprisé comme une chose inerte et stérile. Il lui vint alors une idée, qui était de placer ce caillou sur le passage incliné du ruisseau. Elle ne prit pas la peine de pousser le bloc, elle souffla dessus, et le bloc se mit en travers de l'eau courante, debout sur le sable où il s'enfonça par son propre poids, de manière à y demeurer solidement fixé. Alors, la fée regarda et écouta.

Le ruisseau, évidemment irrité de rencontrer cet obstacle, le frappa d'abord brutalement pour le chasser de son chemin ; puis il le contourna et se pressa sur ses flancs jusqu'à ce qu'il eût réussi à se creuser une rigole de chaque côté, et il se précipita dans ces rigoles en exhalant une sourde plainte.

— Tu ne dis encore rien qui vaille, pensa la fée, mais je vais t'emprisonner si bien que je te forcerai de me répondre.

Alors, elle donna une chiquenaude au bloc de cornaline qui se fendit en quatre. C'est si puissant un doigt de fée ! L'eau, rencontrant quatre murailles au lieu d'une, s'y laissa choir, et, bondissant de tous côtés en ruisselets entrecoupés, il se mit à babiller comme un fou, jetant ses paroles si vite, que c'était un bredouillage insensé, impossible.

La fée cassa encore une fois le bloc et des quatre morceaux en fit huit qui, divisant encore le cours de l'eau, la forcèrent à se calmer et à murmurer discrètement. Alors, elle saisit son langage, et, comme les ruisseaux sont de nature indiscrète et babillarde, elle apprit que la reine des glaciers avait résolu d'envahir son domaine et de la chasser encore plus loin.

Hydrocharis prit alors toutes ses plantes chéries dans sa robe tissue de rayons de soleil, et s'éloigna, oubliant au milieu de l'eau les pauvres débris du gros caillou, qui restèrent là jusqu'à ce que les eaux obstinées les eussent emportés ou broyés.

Rien n'est philosophe et résigné comme un caillou. Celui dont j'essaye de vous dire l'histoire n'était plus représenté un peu dignement que par un des huit morceaux, lequel était encore gros comme votre tête, et, à peu près aussi rond, vu que les eaux qui avaient émietté les autres, l'avaient roulé longtemps. Soit qu'il eût eu plus de chance, soit qu'on eût eu des égards pour lui, il était arrivé beau, luisant et bien poli jusqu'à la porte d'une hutte de roseaux où vivaient d'étranges personnages.

C'était des hommes sauvages, vêtus de peaux de bêtes, portant de longues barbes et de longs cheveux, faute de ciseaux pour les couper, ou parce qu'ils se trouvaient mieux ainsi, et peut-être n'avaient-ils pas tort. Mais, s'ils n'avaient pas encore inventé les ciseaux, ce dont je ne suis pas sûr, ces hommes primitifs n'en étaient pas moins d'habiles couteliers. Celui qui habitait la hutte était même un armurier recommandable.

Il ne savait pas utiliser le fer, mais les cailloux grossiers devenaient entre ses mains des outils de travail ingénieux ou des armes redoutables. C'est vous dire que ces gens appartenaient à la race de l'âge de pierre qui se confond dans la nuit des temps avec les premiers âges de l'occupation celtique. Un des enfants de l'armurier trouva sous ses pieds le beau caillou amené par le ruisseau, et, croyant que c'était un des nombreux éclats ou morceaux de rebut jetés çà et là autour de l'atelier de son père, il se mit à jouer avec et à le faire rouler. Mais le père, frappé de la vive couleur et de la transparence de cet échantillon, le lui ôta des mains et appela ses autres enfants et apprentis pour l'admirer. On ne connaissait dans le pays environnant aucune roche d'où ce fragment pût provenir. L'armurier recommanda à son monde de bien surveiller les cailloux que charriait le ruisseau; mais ils eurent beau chercher et attendre, ils n'en trouvèrent pas d'autre et celui-ci resta dans l'atelier comme un objet des plus rares et des plus précieux.

A quelques jours de là, un homme bleu descendit de la colline et somma l'armurier de lui livrer sa commande. Cet homme bleu, qui était blanc en dessous, avait la figure et le corps peints avec le suc d'une plante qui fournissait aux chefs et aux guerriers ce que les Indiens d'aujourd'hui appellent encore leur peinture de guerre. Il était donc de la tête aux pieds d'un beau bleu d'azur et la famille de l'armurier le contemplait avec admiration et respect.

Il avait commandé une hache de silex, la plus lourde et la plus tranchante qui eût été jamais fabriquée depuis l'âge du renne, et cette arme formidable lui fut livrée, moyennant le prix de deux peaux d'ours, selon qu'il avait été convenu. L'homme bleu ayant payé, allait se retirer, lorsque l'armurier lui montra son caillou de cornaline en lui proposant de le façonner pour lui en hache ou en casse-tête. L'homme bleu, émerveillé de la beauté de la matière, demanda un casse-tête qui serait en même temps un couteau propre à dépecer les animaux après les avoir assommés. On lui fabriqua donc avec ce caillou merveilleux un outil admirable auquel, à force de patience, on put même donner le poli jusqu'alors inconnu à une industrie encore privée de meules; et, pour porter au comble la satisfaction de l'homme bleu, un des fils de l'armurier, enfant très adroit et très artiste, dessina avec une pointe faite d'un éclat, la figure d'un daim sur un des côtés de la lame. Un autre, apprenti très habile au montage, enchâssa l'arme dans un manche de bois fendu par le milieu et assujetti aux extrémités par des cordes de fibres végétales très finement tressées et d'une solidité à toute épreuve.

L'homme bleu donna douze peaux de daim pour cette merveille et l'emporta, triomphant, dans sa mardelle immense, car il était un grand chef de clan, enrichi à la chasse et souvent victorieux à la guerre.

Vous savez ce qu'est une mardelle : vous avez vu ces grands trous béants au milieu de nos champs aujourd'hui cultivés, jadis couverts d'étangs et de forêts. Plusieurs ont de l'eau au fond tandis qu'à un niveau plus élevé, on a trouvé des cendres, des os, des débris de poteries et des pierres disposées en foyer.

On peut croire que les peuples primitifs aimaient à demeurer sur l'eau, témoins les cités lacustres trouvées en si grand nombre et dont vous avez entendu beaucoup parler.

Moi, j'imagine que, dans les pays de plaine comme les nôtres, où l'eau est rare, on creusait le plus profondément possible, et, autant que possible, aussi dans le voisinage d'une source. On détournait au besoin le cours d'un faible ruisseau et on l'emmagasinait dans ces profonds réservoirs, puis l'on bâtissait sur pilotis une spacieuse demeure, qui s'élevait comme un îlot dans un entonnoir et dont les toits inaperçus ne s'élevaient pas au-dessus du niveau du sol, toutes conditions de sécurité contre le parcours des bêtes sauvages ou l'invasion des hordes ennemies.

Quoi qu'il en soit, l'homme bleu résidait dans une grande mardelle (on dit aussi margelle), entourée de beaucoup d'autres plus petites et moins profondes, où plusieurs familles s'étaient établies pour obéir à ses ordres en bénéficiant de sa protection. L'homme bleu fit le tour de toutes ces citernes habitées, franchit, pour entrer chez ses clients, les arbres jetés en guise de ponts, se chauffa à tous les foyers, causa amicalement avec tout le monde, montrant sa merveilleuse hache rose, et laissant volontiers croire qu'il l'avait reçue en présent de quelque divinité. Si on le crut, ou si l'on feignit de le croire, je l'ignore; mais la hache rose fut regardée comme un talisman d'une invincible puissance, et, lorsque l'ennemi se présenta pour envahir la tribu, tous se portèrent au combat avec une confiance exaltée. La confiance fait la bravoure et la bravoure fait la force. L'ennemi fut écrasé, la hache rose du grand chef devint pourpre dans le sang des vaincus. Une gloire nouvelle couronna les anciennes gloires de l'homme bleu, et, dans sa terreur, l'ennemi lui donna le nom de *Marteau-Rouge*, que sa tribu et ses descendants portèrent après lui.

Ce marteau lui porta bonheur car il fut vainqueur dans toutes ses guerres comme dans toutes ses chasses, et mourut, plein de jours[3], sans avoir été victime d'aucun des hasards de sa vie belliqueuse. On l'enterra sous une énorme butte de terre et de sable suivant la coutume du temps, et, malgré le désir effréné qu'avaient ses héritiers de posséder le marteau rouge, on enterra le marteau rouge avec lui. Ainsi le voulait la loi religieuse conservatrice du respect dû aux morts.

Voilà donc notre caillou rejeté dans le néant des ténèbres après une courte période de gloire et d'activité. La tribu du Marteau-Rouge eut lieu de regretter la sépulture donnée au talisman, car les tribus ennemies, longtemps épouvantées par la vaillance du grand chef, revinrent en nombre et dévastèrent les pays de chasse, enlevèrent les troupeaux et ravagèrent même les habitations.

Ces malheurs décidèrent un des descendants de Marteau-Rouge Ier à violer la sépulture de son aïeul, à pénétrer la nuit dans son caveau et à enlever secrètement le talisman qu'il cacha avec soin dans sa mardelle. Comme il ne pouvait avouer à personne cette profanation, il ne pouvait se servir de cette arme excellente et ranimer le courage de son clan, en la faisant briller au soleil des batailles. N'étant plus secouée par un bras énergique et vaillant, — le nouveau possesseur était plus superstitieux que brave, — elle perdit sa vertu, et la tribu, vaincue, dispersée, dut aller chercher en d'autres lieux des établissements nouveaux. Ses mardelles conquises furent occupées par le vainqueur, et des siècles s'écoulèrent sans que le fameux marteau enterré entre deux pierres fût exhumé. On l'oublia si bien, que, le jour où une vieille femme, en poursuivant un rat dans sa cuisine, le retrouva intact, personne ne put lui dire à quoi ce couteau de pierre avait pu servir. L'usage de ces outils s'était perdu. On avait appris à fondre et à façonner le bronze, et, comme ces peuples n'avaient pas d'histoire, ils ne se souvenaient pas des services que le silex leur avait rendus.

Toutefois, la vieille femme trouva le marteau joli et l'essaya pour râper les racines qu'elle mettait dans sa soupe. Elle le trouva commode, bien que le temps et l'humidité l'eussent privé de son beau manche à cordelettes. Il était encore coupant. Elle en fit son couteau de prédilection. Mais, après elle, des enfants voulurent s'en servir et l'ébrêchèrent outrageusement.

Quand vint l'âge du fer, cet ustensile méprisé fut oublié sur le bord de la margelle tarie et à demi comblée. On construisait de nouvelles habitations à fleur de terre avec des cultures autour. On connaissait la bêche et la cognée, on parlait, on agissait, on pensait autrement que par le passé. Le glorieux marteau rouge redevint simple caillou et reprit son sommeil impassible dans l'herbe des prairies.

Bien des siècles se passèrent encore lorsqu'un paysan chasseur qui poursuivait un lièvre réfugié dans la mardelle, et qui, pour mieux courir, avait quitté ses sabots, se coupa l'orteil sur une des faces encore tranchantes du marteau rouge. Il le ramassa, pensant en faire des pierres pour son fusil, et l'apporta chez lui, où il l'oublia dans un coin. A l'époque des vendanges, il s'en servit pour caler sa cuve; après quoi, il le jeta dans son jardin, où les choux, ces fiers occupants d'une terre longtemps abandonnée à elle-même, le couvrirent de leur ombre et lui permirent de dormir encore à l'abri du caprice de l'homme.

Cent ans plus tard, un jardinier le rencontra sous sa bêche, et, comme le jardin du paysan s'était fondu dans un parc seigneurial, ce jardinier porta sa trouvaille au châtelain, en lui disant :

— Ma foi, monsieur le comte, je crois bien que j'ai trouvé dans mes planches d'asperges un de ces marteaux anciens dont vous êtes curieux.

M. le comte complimenta son jardinier sur son *œil* d'anti-quaire[4] et fit grand cas de sa découverte. Le marteau rouge était un des plus beaux spécimens de l'antique industrie de nos pères, et, malgré les outrages du temps, il portait la trace indélébile du travail de l'homme à un degré remarquable. Tous les amis de la maison et tous les antiquaires du pays l'admirèrent. Son âge devint un sujet de grande discussion. Il était en partie dégrossi et taillé au silex comme les spécimens des premiers âges, en par-tie façonné et poli comme ceux d'un temps moins barbare. Il appartenait évidemment à un temps de transition, peut-être avait-il été apporté par des émigrants; à coup sûr, dirent les géologues, il n'a pas été fabriqué dans le pays, car il n'y a pas de trace de cornaline bien loin à la ronde.

Les géologues n'oublièrent qu'une chose, c'est que les eaux sont des conducteurs de minéraux de toute sorte, et les antiquaires ne songèrent pas à se demander si l'histoire des faits industriels n'était pas démentie à chaque instant par des tentati-ves personnelles dues au caprice ou au génie de quelque artisan mieux doué que les autres. La figure tracée sur la lame présen-tait encore quelques linéaments qui furent soigneusement exa-minés. On y voyait bien encore l'intention de représenter un animal. Mais était-ce un cheval, un cerf, un ours des cavernes ou un mammouth ?

Quand on eut bien examiné et interrogé le marteau rouge, on le plaça sur un coussinet de velours. C'était la plus curieuse pièce de la collection de M. le comte. Il eut la place d'honneur et la conserva pendant une dizaine d'années.

Mais M. le comte vint à mourir sans enfants, et madame la comtesse trouva que le défunt avait dépensé pour ses collec-tions beaucoup d'argent qu'il eût mieux employé à lui acheter des dentelles et à renouveler ses équipages. Elle fit vendre toutes ces antiquailles, pressée qu'elle était d'en débarrasser les cham-bres de son château. Elle ne conserva que quelques gemmes gravées et quelques médailles d'or qu'elle pouvait utiliser pour sa parure, et, comme le marteau rouge était tiré d'une cornaline particulièrement belle, elle le confia à un lapidaire chargé de le tailler en plaques destinées à un fermoir de ceinture.

Quand les fragments du marteau rouge furent taillés et montés, madame trouva la chose fort laide et la donna à sa petite nièce âgée de six ans qui en orna sa poupée. Mais ce bijou trop lourd et trop grand ne lui plut pas longtemps et elle imagina d'en faire de la soupe. Oui vraiment, mes enfants, de la soupe pour les poupées. Vous savez mieux que moi que la soupe aux poupées se compose de choses très variées : des fleurs, des graines, des coquilles, des haricots blancs et rouges, tout est bon quand cela est cuit à point dans un petit vase de fer-blanc sur un feu imaginaire. La petite nièce manquant de carottes pour son pot-au-feu, remarqua la belle couleur de la cornaline, et, à l'aide d'un fer à repasser, elle la broya en mille petits morceaux qui donnèrent très bonne mine à la soupe et que la poupée eût dû trouver succulente.

149

Si le marteau rouge eût été un être, c'est-à-dire s'il eût pu penser, quelles réflexions n'eût-il pas faites sur son étrange destinée ? Avoir été montagne, et puis bloc; avoir servi sous cette forme à l'œuvre mytérieuse d'une fée, avoir forcé un ruisseau à révéler les secrets du génie des cimes glacées; avoir été, plus tard, le palladium d'une tribu guerrière, la gloire d'un peuple, le sceptre d'un homme bleu; être descendu à l'humble condition de couteau de cuisine jusqu'à ratisser, Dieu sait quels légumes, chez un peuple encore sauvage; avoir retrouvé une sorte de gloire dans les mains d'un antiquaire, jusqu'à se pavaner sur un socle de velours aux yeux des amateurs émerveillés : et tout cela pour devenir carotte fictive dans les mains d'un enfant, sans pouvoir seulement éveiller l'appétit dédaigneux d'une poupée !

Le marteau rouge n'était pourtant pas absolument anéanti. Il en était resté un morceau gros comme une noix que le valet de chambre ramassa en balayant et qu'il vendit cinquante centimes au lapidaire. Avec ce dernier fragment, le lapidaire fit trois bagues qu'il vendit un franc chacune. C'est très joli, une bague de cornaline, mais c'est vite cassé et perdu. Une seule existe encore, elle a été donné à une petite fille soigneuse qui la conserve précieusement sans se douter qu'elle possède la dernière parcelle du fameux marteau rouge, lequel n'était lui-même qu'une parcelle de la roche aux fées.

Tel est le sort des choses. Elles n'existent que par le prix que nous y attachons, elles n'ont point d'âme qui les fasse renaître, elles deviennent poussière; mais, sous cette forme, tout ce qui possède la vie les utilise encore. La vie se sert de tout, et ce que le temps et l'homme détruisent renaît sous des formes nouvelles, grâce à cette fée qui ne laisse rien perdre, qui répare tout et qui recommence tout ce qui est défait. Cette reine des fées, vous la connaissez fort bien : c'est la nature.

La Fée Poussière

Autrefois, il y a bien longtemps, mes chers enfants, j'étais jeune et j'entendais souvent les gens se plaindre d'une importune petite vieille qui entrait par les fenêtres quand on l'avait chassée par les portes. Elle était si fine et si menue, qu'on eût dit qu'elle flottait au lieu de marcher, et mes parents la comparaient à une petite fée. Les domestiques la détestaient et la renvoyaient à coups de plumeau, mais on ne l'avait pas plus tôt délogée d'une place qu'elle reparaissait à une autre.

Elle portait toujours une vilaine robe grise traînante et une sorte de voile pâle que le moindre vent faisait voltiger autour de sa tête ébouriffée en mèches jaunâtres.

A force d'être persécutée, elle me faisait pitié et je la laissais volontiers se reposer dans mon petit jardin, bien qu'elle abimât beaucoup mes fleurs. Je causais avec elle, mais sans en pouvoir tirer une parole qui eût le sens commun. Elle voulait toucher à tout, disant qu'elle ne faisait que du bien. On me reprochait de la tolérer, et, quand je l'avais laissée s'approcher de moi, on m'envoyait laver et changer, en me menaçant de me donner le nom qu'elle portait.

C'était un vilain nom que je redoutais beaucoup. Elle était si malpropre qu'on prétendait qu'elle couchait dans les balayures des maisons et des rues, et, à cause de cela, on la nommait la fée Poussière.

— Pourquoi donc êtes-vous si poudreuse ? lui dis-je, un jour qu'elle voulait m'embrasser.

— Tu es une sotte de me craindre, répondit-elle alors d'un ton railleur : tu m'appartiens, et tu me ressembles plus que tu ne penses. Mais tu es une enfant esclave de l'ignorance, et je perdrais mon temps à te le démontrer.

— Voyons, repris-je, vous paraissez vouloir parler raison pour la première fois. Expliquez-moi vos paroles.

— Je ne puis te parler ici, répondit-elle. J'en ai trop long à te dire, et, sitôt que je m'installe quelque part chez vous, on me balaye avec mépris ; mais, si tu veux savoir qui je suis, appelle-moi par trois fois cette nuit, aussitôt que tu seras endormie.

Là-dessus, elle s'éloigna en poussant un grand éclat de rire, et il me sembla la voir se dissoudre et s'élever en grande traînée d'or, rougie par le soleil couchant.

Le même soir, j'étais dans mon lit et je pensais à elle en commençant à sommeiller.

— J'ai rêvé tout cela, me disais-je, ou bien cette petite vieille est une vraie folle. Comment me serait-il possible de l'appeler en dormant ?

Je m'endormis, et tout aussitôt je rêvai que je l'appelais. Je ne suis même pas sûre de n'avoir pas crié tout haut par trois fois : « Fée Poussière ! fée Poussière ! fée Poussière ! »

A l'instant même, je fus transportée dans un immense jardin au milieu duquel s'élevait un palais enchanté, et sur le seuil de cette merveilleuse demeure, une dame resplendissante de jeunesse et de beauté m'attendait dans de magnifiques habits de fête.

Je courus à elle et elle m'embrassa en me disant :

— Eh bien, reconnais-tu, à présent, la fée Poussière ?

— Non, pas du tout, madame, répondis-je, et je pense que vous vous moquez de moi.

— Je ne me moque point, reprit-elle ; mais, comme tu ne saurais comprendre mes paroles, je vais te faire assister à un spectacle qui te paraîtra étrange et que je rendrai aussi court que possible. Suis-moi.

Elle me conduisit dans le plus bel endroit de sa résidence. C'était un petit lac limpide qui ressemblait à un diamant vert enchâssé dans un anneau de fleurs, et où se jouaient des poissons de toutes les nuances de l'orange et de la cornaline, des carpes de Chine couleur d'ambre, des cygnes blancs et noirs, des sarcelles exotiques vêtues de pierreries, et, au fond de l'eau, des coquillages de nacre et de pourpre, des salamandres aux vives couleurs et aux panaches dentelés, enfin tout un monde de merveilles vivantes glissant et plongeant sur un lit de sable argenté, où poussaient des herbes fines, plus fleuries et plus jolies les unes que les autres. Autour de ce vaste bassin s'arrondissait sur plusieurs rangs une colonnade de porphyre à chapiteaux d'albâtre. L'entablement, fait des minéraux les plus précieux, disparaissait presque sous les clématites, les jasmins, les glycines, les bryones et les chèvrefeuilles où mille oiseaux faisaient leurs nids. Des buissons de roses de toutes nuances et de tous parfums, se miraient dans l'eau, ainsi que le fût des colonnes et les belles statues de marbre de Paros[1] placées sous les arcades. Au milieu du bassin jaillissait en mille fusées de diamants et de perles un jet d'eau qui retombait dans de colossales vasques de nacre.

Le fond de l'amphithéâtre d'architecture s'ouvrait sur de riants parterres qu'ombrageaient des arbres géants couronnés de fleurs et de fruits, et dont les tiges enlacées de pampres formaient, au-delà de la colonnade de porphyre, une colonnade de verdure et de fleurs.

La fée me fit asseoir avec elle au seuil d'une grotte d'où s'élançait une cascade mélodieuse et que tapissaient les beaux rubans des scolopendres et le velours des mousses fraîches diamantées de gouttes d'eau.

— Tout ce que tu vois là, me dit-elle, est mon ouvrage. Tout cela est fait de poussière; c'est en secouant ma robe dans les nuages que j'ai fourni tous les matériaux de ce paradis. Mon ami le feu qui les avait lancés dans les airs, les a repris pour les recuire, les cristalliser ou les agglomérer après que mon serviteur le vent les a eu promenés dans l'humidité et dans l'électricité des nues, et rabattus sur la terre; ce grand plateau solidifié s'est revêtu alors de ma substance féconde et la pluie en a fait des sables et des engrais, après en avoir fait des granits, des porphyres, des marbres, des métaux et des roches de toute sorte.

J'écoutais sans comprendre et je pensais que la fée continuait à me mystifier. Qu'elle eût pu faire de la terre avec de la poussière, passe encore; mais qu'elle eût fait avec cela du marbre, des granits et d'autres minéraux, qu'en se secouant elle aurait fait tomber du ciel, je n'en croyais rien. Je n'osais pas lui donner un démenti, mais je me retournai involontairement vers elle pour voir si elle disait sérieusement une pareille absurdité.

Quelle fut ma surprise de ne plus la trouver derrière moi ! mais j'entendis sa voix qui partait de dessous terre et qui m'appelait. En même temps, je m'enfonçai sous terre aussi, sans pouvoir m'en défendre, et je me trouvai dans un lieu terrible où tout était feu et flamme. On m'avait parlé de l'enfer, je crus que c'était cela. Des lueurs rouges, bleues, vertes, blanches, violettes, tantôt livides, tantôt éblouissantes, remplaçaient le jour, et, si le soleil pénétrait en cet endroit, les vapeurs qui s'exhalaient de la fournaise le rendaient tout à fait invisible.

Des bruits formidables, des sifflements aigus, des explosions, des éclats de tonnerre remplissaient cette caverne de nuages noirs où je me sentais enfermée.

Au milieu de tout cela, j'apercevais la petite fée Poussière qui avait repris sa face terreuse et son sordide vêtement incolore. Elle allait et venait, travaillant, poussant, tassant, brassant, versant je ne sais quels acides, se livrant en un mot à des opérations incompréhensibles.

— N'aie pas peur, me cria-t-elle d'une voix qui dominait les bruits assourdissants de ce Tartare[2]. Tu es ici dans mon laboratoire. Ne connais-tu pas la chimie ?

— Je n'en sais pas un mot, m'écriai-je, et ne désire pas l'apprendre en un pareil endroit.

— Tu as voulu savoir, il faut te résigner à regarder. Il est bien commode d'habiter la surface de la terre, de vivre avec les fleurs, les oiseaux et les animaux apprivoisés; de se baigner dans les eaux tranquilles, de manger des fruits savoureux en marchant sur des tapis de gazon et de marguerites. Tu t'es imaginée que la vie humaine avait subsisté de tout temps ainsi, dans des conditions bénies. Il est temps de t'aviser du commencement des choses et de la puissance de la fée Poussière, ton aïeule, ta mère et ta nourrice.

En parlant ainsi, la petite vieille me fit rouler avec elle au plus profond de l'abîme à travers les flammes dévorantes, les explosions effroyables, les âcres fumées noires, les métaux en fusion, les laves au vomissement hideux et toutes les terreurs de l'éruption volcanique.

— Voici mes fourneaux, me dit-elle, c'est le sous-sol où s'élaborent mes provisions. Tu vois, il fait bon ici pour un esprit débarrassé de cette carapace qu'on appelle un corps. Tu as laissé le tien dans ton lit et ton esprit seul est avec moi. Donc, tu peux toucher et brasser la matière première. Tu ignores la chimie, tu ne sais pas encore de quoi cete matière est faite, ni par quelle opération mystérieuse ce qui apparaît ici sous l'aspect de corps solides provient d'un corps gazeux qui a lui dans l'espace comme une nébuleuse et qui plus tard a brillé comme un soleil. Tu es une enfant, je ne peux pas t'initier aux grands secrets de la création et il se passera encore du temps avant que tes professeurs les sachent eux-mêmes. Mais je peux te faire voir les produits de mon art culinaire. Tout est ici un peu confus pour toi. Remontons d'un étage. Prends l'échelle et suis-moi.

Une échelle, dont je ne pouvais apercevoir ni la base ni le faîte, se présentait en effet devant nous. Je suivis la fée et me trouvai avec elle dans les ténèbres, mais je m'aperçus alors qu'elle était toute lumineuse et rayonnait comme un flambeau. Je vis donc des dépôts énormes d'une pâte rosée, des blocs d'un cristal blanchâtre et des lames immenses d'une matière vitreuse noire et brillante que la fée se mit à écraser sous ses doigts; puis elle pila le cristal en petits morceaux et mêla le tout avec la pâte rose, qu'elle porta sur ce qu'il lui plaisait d'appeler un feu doux.

— Quel plat faites-vous donc là ? lui demandai-je.

— Un plat très nécessaire à ta pauvre petite existence, répondit-elle; je fais du granit, c'est-à-dire qu'avec de la poussière je fais la plus dure et la plus résistante des pierres. Il faut bien cela, pour enfermer le Cocyte et le Phlégéthon. Je fais aussi des mélanges variés des mêmes éléments. Voici ce qu'on t'a montré sous des noms barbares, les gneiss, les quartzites, les talcschistes, les micaschistes, etc. De tout cela, qui provient de mes poussières, je ferai plus tard d'autres poussières avec des éléments nouveaux, et ce seront alors des ardoises, des sables et des grès. Je suis habile et patiente, je pulvérise sans cesse pour réagglomérer. La base de tout gâteau n'est-elle pas la farine ? Quant à présent, j'emprisonne mes fourneaux en leur ménageant toutefois quelques soupiraux nécessaires pour qu'ils ne fassent pas tout éclater. Nous irons voir plus haut ce qui se passe. Si tu es fatiguée, tu peux faire un somme, car il me faut un peu de temps pour cet ouvrage.

Je perdis la notion du temps, et, quand la fée m'éveilla :

— Tu as dormi, me dit-elle, un joli nombre de siècles !

— Combien donc, madame la fée ?

— Tu demanderas cela à tes professeurs, répondit-elle en ricanant ; reprenons l'échelle.

Elle me fit monter plusieurs étages de divers dépôts, où je la vis manipuler des rouilles de métaux dont elle fit du calcaire, des marnes, des argiles, des ardoises, des jaspes ; et, comme je l'interrogeais sur l'origine des métaux :

— Tu en veux savoir beaucoup, me dit-elle. Vos chercheurs peuvent expliquer beaucoup de phénomènes par l'eau et par le feu. Mais peuvent-ils savoir ce qui s'est passé entre terre et ciel quand toutes mes pouzzolanes, lancées par le vent de l'abîme, ont formé des nuées solides, que les nuages d'eau ont roulées dans leurs tourbillons d'orage, que la foudre a pénétrées de ses aimants mystérieux et que les vents supérieurs ont rabattues sur la surface terrestre en pluies torrentielles ? C'est là l'origine des premiers dépôts. Tu vas assister à leurs merveilleuses transformations.

Nous montâmes plus haut et nous vîmes des craies, des marbres et des bancs de pierre calcaire, de quoi bâtir une ville aussi grande que le globe entier. Et, comme j'étais émerveillée de ce qu'elle pouvait produire par le sassement[3], l'agglomération, le métamorphisme[4] et la cuisson, elle me dit :

— Tout ceci n'est rien, et tu vas voir bien autre chose ! tu vas voir la vie déjà éclose au milieu de ces pierres.

Elle s'approcha d'un bassin grand comme une mer, et, y plongeant le bras, elle en retira d'abord des plantes étranges, puis des animaux plus étranges encore, qui étaient encore à moitié plantes ; puis des être libres, indépendants les uns des autres, des coquillages vivants, puis enfin des poissons, qu'elle fit sauter en disant :

— Voilà ce que dame Poussière sait produire quand elle se dépose au fond des eaux. Mais il y a mieux ; retourne-toi et regarde le rivage.

Je me retournai : le calcaire et tous ses composés, mêlés à la silice et à l'argile, avaient formé à leur surface une fine poussière brune et grasse où poussaient des plantes chevelues fort singulières.

— Voici la terre végétale, dit la fée, attends un peu, tu verras pousser des arbres.

En effet, je vis une végétation arborescente s'élever rapidement et se peupler de reptiles et d'insectes, tandis que sur les rivages s'agitaient des être inconnus qui me causèrent une véritable terreur.

— Ces animaux ne t'effrayeront pas sur la terre de l'avenir, dit la fée. Ils sont destinés à l'engraisser de leurs dépouilles. Il n'y a pas encore ici d'hommes pour les craindre.

— Attendez ! m'écriai-je, voici un luxe de monstres qui me scandalise ! Voici votre terre qui appartient à ces dévorants qui vivent les uns des autres. Il vous fallait tous ces massacres et toutes ces stupidités pour nous faire un fumier ? Je comprends qu'il ne soient pas bons à autre chose, mais je ne comprends pas une création si exubérante de formes animées, pour ne rien faire et ne rien laisser qui vaille.

— L'engrais est quelque chose, si ce n'est pas tout, répondit la fée. Les conditions que celui-ci va créer seront propices à des êtres différents qui succéderont à ceux-ci.

— Et qui disparaîtront à leur tour, je sais cela. Je sais que la création se perfectionnera jusqu'à l'homme, du moins on me l'a dit et je le crois. Mais je ne m'étais pas encore représenté cette prodigalité de vie et de destruction qui m'effraye et me répugne. Ces formes hideuses, ces amphibies gigantesques, ces crocodiles monstreux, et toutes ces bêtes rampantes ou nageantes qui ne semblent vivre que pour se servir de leurs dents et dévorer les autres...

Mon indignation divertit beaucoup la fée Poussière.

— La matière est la matière, répondit-elle, elle est toujours logique dans ses opérations. L'esprit humain ne l'est pas et tu en es la preuve, toi qui te nourris de charmants oiseaux et d'une foule de créatures plus belles et plus intelligentes que celles-ci. Est-ce à moi de t'apprendre qu'il n'y a point de production possible sans destruction permanente, et veux-tu renverser l'ordre de la nature ?

— Oui, je le voudrais, je voudrais que tout fût bien, dès le premier jour. Si la nature est une grande fée, elle pouvait bien se passer de tous ces essais abominables, et faire un monde où nous serions des anges, vivant par l'esprit, au sein d'une création immuable et toujours belle.

— La grande fée Nature a de plus hautes visées, répondit dame Poussière. Elle ne prétend pas s'arrêter aux choses que tu connais. Elle travaille et invente toujours. Pour elle, qui ne connaît pas la suspension de la vie, le repos serait la mort. Si les choses ne changeaient pas, l'œuvre du roi des génies serait terminée et ce roi, qui est l'activité incessante et suprême, finirait avec son œuvre. Le monde où tu vis et où tu vas retourner tout à l'heure quand ta vision du passé se dissipera, — ce monde de l'homme que tu crois meilleur que celui des animaux anciens, ce monde dont tu n'es pourtant pas satisfait[5], puisque tu voudrais y vivre éternellement à l'état de pur esprit, cette pauvre planète encore enfant, est destinée à se transformer indéfiniment. L'avenir fera de vous tous et de vous toutes, faibles créatures humaines, des fées et des génies qui posséderont la science, la raison et la bonté; vois ce que je te fais voir, et sache que ces premières ébauches de la vie résumée dans l'instinct sont plus près de toi que tu ne l'es de ce que sera, un jour, le règne de l'esprit sur la terre que tu habites. Les occupants de ce monde futur seront alors en droit de te mépriser aussi profondément que tu méprises aujourd'hui le monde des grands sauriens.

— A la bonne heure, répondis-je, si tout ce que je vois du passé doit me faire aimer l'avenir, continuons à voir du nouveau.

— Et surtout, reprit la fée, ne le méprisons pas trop, ce passé, afin de ne pas commettre l'ingratitude de mépriser le présent. Quand le grand esprit de la vie se sert des matériaux que je lui fournis, il fait des merveilles dès le premier jour. Regarde les yeux de ce prétendu monstre que vos savants ont nommé l'ichtyosaure.

— Ils sont plus gros que ma tête et me font peur.

— Ils sont très supérieurs aux tiens. Ils sont à la fois myopes et presbytes à volonté. Ils voient la proie à des distances considérables comme avec un télescope, et, quand elle est tout près, par un simple changement de fonction, ils la voient parfaitement à sa véritable distance sans avoir besoin de lunettes. A ce moment de la création, la nature n'a qu'un but : faire un animal pensant. Elle lui donne des organes merveilleusement appropriés à ses besoins. C'est un joli commencement : n'en es-tu pas frappée ? — Il en sera ainsi, et de mieux en mieux, de tous les êtres qui vont succéder à ceux-ci. Ceux qui te paraîtront pauvres, laids ou chétifs seront encore des prodiges d'adaptation au milieu où ils devront se manifester.

— Et comme ceux-ci, ils ne songeront pourtant qu'à se nourrir ?

— A quoi veux-tu qu'ils songent ? La terre n'éprouve pas le besoin d'être admirée. Le ciel subsistera aujourd'hui et toujours sans que les aspirations et les prières des créatures ajoutent rien à son éclat et à la majesté de ses lois. La fée de ta petite planète connaît la grande cause, n'en doute pas ; mais, si elle est chargée de faire un être qui pressente ou devine cette cause, elle est soumise à la loi du temps, cette chose dont vous ne pouvez pas vous rendre compte, parce que vous vivez trop peu pour en apprécier les opérations. Vous les croyez lentes, et elles sont d'une rapidité foudroyante. Je vais affranchir ton esprit de son infirmité et faire passer devant toi les résultats de siècles innombrables. Regarde et n'ergote plus. Mets à profit ma complaisance pour toi.

Je sentis que la fée avait raison et je regardai, de tous mes yeux, la succession des aspects de la terre. Je vis naître et mourir des végétaux et des animaux de plus en plus ingénieux par l'instinct et de plus en plus agréables ou imposants par la forme. A mesure que le sol s'embellissait de productions plus ressemblantes à celles de nos jours, les habitants de ce grand jardin que de grands accidents transformaient sans cesse, me parurent moins avides pour eux-mêmes et plus soucieux de leur progéniture. Je les vis construire des demeures à l'usage de leur famille et montrer de l'attachement pour leur localité. Si bien que, de moment en moment, je voyais s'épanouir un monde et surgir un monde nouveau, comme les actes d'une féérie.

161

— Repose-toi, me dit la fée, car tu viens de parcourir beaucoup de milliers de siècles, sans t'en douter, et monsieur l'homme va naître à son tour quand le règne de monsieur le singe sera accompli.

Je me rendormis, écrasée de fatigue, et, quand je m'éveillai, je me trouvai au milieu d'un grand bal dans le palais de la fée, redevenue jeune, belle et parée.

— Tu vois toutes ces belles choses et tout ce beau monde, me dit-elle. Eh bien, mon enfant, poussière que tout cela ! Ces parois de porphyre et de marbre, c'est de la poussière de molécules pétrie et cuite à point. Ces murailles de pierres taillées, c'est de la poussière de chaux ou de granit amenée à bien par les mêmes procédés. Ces lustres et ces cristaux, c'est du sable fin cuit par la main des hommes en imitation du travail de la nature. Ces porcelaines et ces faïences, c'est de la poudre de feldspath, le kaolin dont les Chinois nous ont fait trouver l'emploi. Ces diamants qui parent les danseuses, c'est de la poudre de charbon qui s'est cristallisée. Ces perles, c'est le phosphate de chaux que l'huître suinte dans sa coquille. L'or et tous les métaux n'ont pas d'autre origine que l'assemblage bien tassé, bien manipulé, bien fondu, bien chauffé et bien refroidi, de molécules infinitésimales. Ces beaux végétaux, ces roses couleur de chair, ces lis tachetés, ces gardénias qui embaument l'atmosphère, sont nés de la poussière que je leur ai préparée, et ces gens qui dansent et sourient au son des instruments, ces vivants par excellence qu'on appelle des personnes, eux aussi, ne t'en déplaise, sont nés de moi et retourneront à moi.

Comme elle disait cela, la fête et le palais disparurent. Je me trouvai avec la fée dans un champ où il poussait du blé. Elle se baissa et ramassa une pierre où il y avait un coquillage incrusté.

— Voilà, me dit-elle, à l'état fossile, un être que je t'ai montré vivant aux premiers âges de la vie. Qu'est-ce que c'est, à présent ? Du phosphate de chaux. On le réduit en poussière et on en fait de l'engrais pour les terres trop siliceuses. Tu vois, l'homme commence à s'aviser d'une chose, c'est que le seul maître à étudier, c'est la nature.

Elle écrasa sous ses doigts le fossile et en sema la poudre sur le sol cultivé, en disant :

— Ceci rentre dans ma cuisine. Je sème la destruction pour faire pousser le germe. Il en est ainsi de toutes les poussières, qu'elles aient été plantes, animaux ou personnes. Elles sont la mort après avoir été la vie, et cela n'a rien de triste, puisqu'elles recommencent toujours, grâce à moi, à être la vie après avoir été la mort. Adieu. Je veux que tu gardes un souvenir de moi. Tu admires beaucoup ma robe de bal. En voici un petit morceau que tu examineras à loisir.

Tout disparut, et, quand j'ouvris les yeux, je me retrouvai dans mon lit. Le soleil était levé et m'envoyait un beau rayon. Je regardai le bout d'étoffe que la fée m'avait mis dans la main. Ce n'était qu'un petit tas de fine poussière, mais mon esprit était encore sous le charme du rêve et il communiqua à mes sens le pouvoir de distinguer les moindres atomes de cette poussière.

Je fus émerveillée; il y avait de tout : de l'air, de l'eau, du soleil, de l'or, des diamants, de la cendre, du pollen de fleur, des coquillages, des perles, de la poussière d'ailes de papillon, du fil, de la cire, du fer, du bois, et beaucoup de cadavres microscopiques; mais, au milieu de ce mélange de débris imperceptibles, je vis fermenter je ne sais quelle vie d'êtres insaisissables qui paraissaient chercher à se fixer quelque part pour éclore ou pour se transformer, et qui se fondirent en nuage d'or dans le rayon rose du soleil levant.

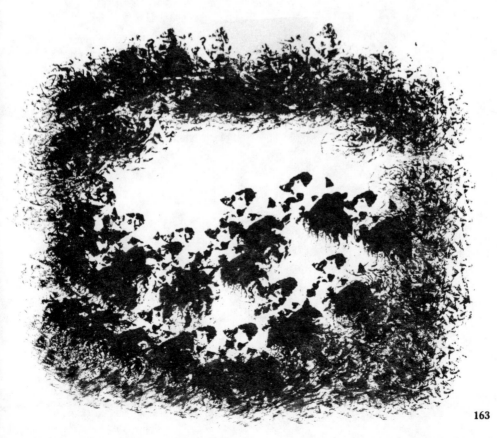

Le Gnome des huîtres

Un original de nos amis, grand amateur d'huîtres, eut la fantaisie, l'an dernier, d'aller déguster sur place les produits des bancs les plus renommés, afin de les comparer et d'être édifié une fois pour toutes sur leurs différents mérites. Il alla donc à Cancale, à Ostende, à Marennes[1], et autres localités recommandables. Il revint persuadé que Paris est le port de mer où l'on trouve les meilleurs produits maritimes.

Vous connaissez cet ami[2], mes chères petites, vous savez qu'il est fantaisiste, et que, quand il raconte, son imagination lui fait dépasser le vraisemblable. L'autre soir, il était en train de nous narrer son voyage, lorsque *l'homme au sable*[3] a passé. Vous avez résisté le mieux possible; mais enfin il vous a fallu dire bonsoir à la compagnie, et vous auriez perdu cette curieuse histoire, si je ne l'eusse transcrite fidèlement pour vous, le soir même. La voici telle que je l'ai entendue. C'est notre ami qui parle :

Vous savez aussi bien que moi, mes chers amis, qu'on peut habiter les bords de la mer et n'y manger de poissons, de crustacés et de coquillages que lorsqu'on en demande à Paris. C'est là que tout s'engouffre, et vous vous souvenez que, sur les rives de la Manche, nous n'en goûtions que quand les propriétaires des grands hôtels de bains en faisaient venir de la Halle[4]. Bien que averti, je voulus, l'an dernier, expérimenter la chose par moi-même. Je restai vingt-quatre heures à Marennes avant d'obtenir une demi-douzaine d'huîtres médiocres que je payai fort cher. Ailleurs, je n'en obtins pas du tout. Dans certains villages, on m'offrit des colimaçons.

Enfin, je gagnai Cancale, où les huîtres étaient passables et le vin blanc de l'auberge excellent. Je me trouvai à table à côté d'un tout petit vieillard bossu, ratatiné et sordidement vêtu, qui me parut fort laid et avec qui pourtant je liai conversation, parce qu'il me sembla être le seul qui attachât de l'importance à la qualité des huîtres. Il les examinait sérieusement, les retournant de tous côtés.

— Est-ce que vous cherchez des perles ? lui demandai-je.

— Non, répondit-il; je compare cette espèce, ou plutôt cette variété à toutes celles que je connais déjà.

— Ah ! vraiment ? vous êtes amateur ?

— Oui, monsieur; comme vous, sans doute ?

— Moi ? je voyage exclusivement pour les huîtres.

— Bravo ! nous pourrons nous entendre. Je me mets absolument à votre service.

— Parfait ! Avalons encore quelques-uns de ces mollusques et nous causerons. — Garçon ! apportez-nous encore quatre douzaines d'huîtres.

— Voilà, monsieur ! dit le garçon en posant sur la table quatre bouteilles de vin de Sauterne [5].

— Que voulez-vous que nous fassions de tout ce vin ? demanda d'un ton bourru le petit homme.

— Une bouteille par douzaine, est-ce trop ? dit le garçon en me regardant.

— On verra, répondis-je. Vos huîtres sont diablement salées. N'importe, pourvu qu'il y en ait à discrétion...

Le garçon sortit. Je vidai une bouteille avec le petit vieux, qui me parut ne pas se faire prier, du moment où il comprit que je payais. Le garçon rentra.

— Monsieur, dit-il, il n'y a plus d'huîtres très grasses. Mais monsieur n'a qu'à commander ce qu'il en veut pour demain.

— Allez au diable ! j'ai cru tomber ici sur une mine inépuisable...

— Il y en a, monsieur, il y en a en quantité, mais il faut les pêcher.

— Eh bien, j'irai les pêcher moi-même. Apportez le déjeuner.

Le déjeuner fut bon et nous y fîmes honneur. Les soles étaient excellentes, le vin était sans reproche. Mais le dépit de n'avoir point d'huîtres m'empêcha de savourer ce qu'on m'offrait. Je bus et mangeai sans discernement, causant toujours avec mon petit vieux, qui semblait compatir à ma peine et prendre intérêt à mon exploration manquée.

Si bien qu'à la fin du repas je ne saisissais plus très clairement le sens de ses paroles ni la vue des objets environnants. Le gnome, car il avait réellement l'aspect d'un gnome, me paraissait un peu ému aussi, car il passa son bras sous le mien avec une familiarité touchante en m'appelant son cher ami, et en jurant qu'il allait me révéler tous les secrets de la nature concernant les huîtres.

Je le suivis sans savoir où j'allais. La vivacité de l'air achevait de m'éblouir, et je me trouvai avec lui dans une sorte de grotte, de cave ou de chambre sombre, où étaient entassés des monceaux de coquillages.

— Voici ma collection, me dit-il d'un air triomphant : je ne la montre pas au premier venu; mais, puisque vous êtes un véritable amateur... tenez, voici la première des huîtres ! *ostrea matercula* de l'étage permien.

— Voyons ! m'écriai-je en saisissant l'huître et en la portant à mes lèvres.

— Vous voulez la manger ? fit le gnome en m'arrêtant : y songez-vous ?

— Pardon ! j'ai cru que vous me l'offriez pour cela.

— Mais, monsieur, c'est un échantillon précieux. On ne le trouve qu'en Russie, dans les calcaires cuivreux.

— Cuivreux ? merci ! Vous avez bien fait de m'arrêter ! Mon déjeuner ne me gêne point et je ne recherche pas les oxydes de cuivre en guise de dessert. Passons. Ces *ostrea*, comme vous les appelez, ne me feront pas faire le voyage de Russie.

— Pourtant, monsieur, dit le gnome en reprenant son huître, elle est bien intéressante, cette représentante des premiers âges de la vie ! Au temps où elle apparut dans les mers, il n'existait ni hommes ni quadrupèdes sur la terre.

— Alors, que faisait-elle dans le monde ?

— Elle essayait d'exister, monsieur, et elle existait ! Allez-vous dire du mal des premières huîtres, sous prétexte que vous n'étiez pas encore né pour les manger ?

Je vis que j'avais fâché le gnome et je le priai de passer à une série plus récente.

— Procédons avec ordre, reprit-il; voici *ostrea marcignyana*, des arkoses et des grès du Keuper.

— Elle n'a pas bonne mine, elle est toute plissée et doit manquer de chair.

— Les animaux de son temps ne la dédaignaient pas, soyez-en sûr. Aimez-vous mieux *ostrea arcuata*, autrement la gryphée arquée du lias inférieur ?

— Je la trouve jolie, elle ressemble à une lampe antique, mais quel goût a-t-elle ?

— Je n'en sais rien, répondit le gnome en haussant les épaules. Je n'ai pas vécu de son temps. Il y a deux cent cinq espèces principales d'huîtres fossiles avec leurs variétés et sous-variétés, ce qui forme un joli total. Je puis vous montrer la variété d'*ostrea arcuata*. Tenez ! mangez-la, si le cœur vous en dit !

— Oh ! oh ! à la bonne heure ! Celle-ci est belle, et, dans mes meilleurs jours d'appétit, je pense qu'une douzaine me suffirait.

— Aussi nous l'appelons *gigantea*. En voulez-vous de plus petites ? Voici une prétendue variété que je ne crois pas être autre chose que l'*arcuata* dans son âge tendre. En voulez-vous un plat ? On la trouve à foison dans le sinémurien.

— Merci ! il me faudrait un cure-dent pour les tirer de leur coquille et trente-six heures à table pour m'en rassasier.

— Eh bien, voici l'*ostrea cymbium*, du lias moyen.

— C'est trop gros, ce doit être coriace.

— Aimez-vous mieux *marshii cristagalli*, du bajocien ?

— Elle est jolie; mais le moyen d'ouvrir toutes ces dentelures en crête de coq ? Vraiment, tout ce que vous me montrez ne vaut pas le diable !

— Monsieur n'est pas content de mes échantillons ? Voici pourtant la *gregaria*, dont la dentelure est merveilleuse, et que vous auriez pu trouver dans les falaises de marne du Calvados. Mais passons quelques espèces, puisque vous êtes pressé. Traversons l'oolithe. N'accorderez-vous pas pourtant un regard à *ostrea virgula*, du kimmeridge clay ?

— Pas de virgule ! m'écriai-je impatienté de ces noms barbares. Passez, passez !

— Eh bien, monsieur, nous voici dans les terrains crétacés. Voici *ostrea couloni*, des grès verts, une belle huître, celle-là, j'espère ! Voici *aquila* (du gault) encore plus grosse; *flabellata frons, carinata*, avec sa longue carène. Mangeriez-vous bien la douzaine ? J'en passe, et des meilleures; mais voici la merveille, c'est l'*ostrea pes-leonis* de la craie blanche. Celle-ci ne vous dit-elle rien ?

Il me tendait un mollusque énorme, tout dentelé, tout plissé, et revêtu d'un test d'aspect cristallin qui avait réellement bonne mine.

— Vous ne me ferez pas croire, lui dis-je, que ceci soit une huître !

— Pardon, c'est une véritable huître, monsieur !

— Huître vous-même ! m'écriai-je furieux.

J'avais reçu de sa petite patte maigre le mollusque nacré sans me douter de son poids. Il était tel, que, ne m'attendant à rien, je le laissai tomber sur mon pied, ce qui, ajouté à l'ennui que me causait la nomenclature pédantesque du gnome, me mit, je l'avoue, dans une véritable colère; et, comme il riait méchamment, sans paraître offensé le moins du monde d'être traité d'huître, je voulus lui jeter quelque chose à la tête. Je ne suis pas cruel, même dans la colère, je l'aurais tué avec l'huître *pied de lion*; je me contentai de lui lancer dans la figure une poignée de menue mitraille que je trouvai sous ma main et qui ne lui fit pas grand mal.

Mais alors il entra en fureur, et, reculant d'un pas, il saisit un gros marteau d'acier qu'il brandit d'une main convulsive.

— Vous n'êtes pas une huître, vous ! s'écria-t-il d'une voix glapissante comme la vague qui se brise sur les galets. Non ! vous n'êtes pas à la hauteur de ce doux mollusque, *ostrea œdulis* des temps modernes, qui ne fait de mal à personne et dont vous n'appréciez le mérite que lorsqu'il est victime de votre voracité. Vous êtes un Welche[7], un barbare ! vous touchez sans respect à mes fossiles, vous brisez indignement mes charmantes petites *columbœ* de la craie blanche, que j'ai recueillies avec tant de soin et d'amour ! Quoi ! je vous invite à voir la plus belle collection qui existe dans le pays, une collection à laquelle ont contribué tous les savants de l'Europe, et, non content de vouloir tout avaler comme un goinfre ignorant, vous détériorez mes précieux spécimens ! Je vais vous traiter comme vous le méritez et vous faire sentir ce que pèse le marteau d'un géologue !

Le danger que je courais dissipa à l'instant même les fumées du vin blanc, et, voyant que j'étais entouré de fossiles et non de comestibles, je saisis à temps le bras du gnome et lui arrachai son arme ; mais il s'élança sur moi et s'y attacha comme un poulpe. Cette étreinte d'un affreux bossu me causa une telle répugnance, que je me sentis pris de nausées et le menaçai de tout briser dans son musée d'huîtres s'il ne me lâchait.

Je ne sais trop alors ce qui se passa. Le gnome était d'une force surhumaine ; je me trouvai étendu par terre, et, alors, ne me connaissant plus, je ramassai la redoutable *ostrea pes-leonis* pour la lui lancer.

Il prit la fuite et fit bien. Je me relevai et me hâtai de sortir de l'espèce d'antre qu'il appelait son musée, et je me trouvai sur le bord de la mer, face à face avec le garçon de l'hôtel où j'avais déjeuné.

— Si monsieur désire des huîtres, me dit-il, nous en aurons à dîner. On m'en a promis douze douzaines.

— Au diable les huîtres ! m'écriai-je. Qu'on ne m'en parle plus jamais ! Oui, que le diable les emporte toutes, depuis la *matercula* des terres cuivreuses jusqu'à l'*œdulis* des temps modernes !

Le garçon me regarda d'un air stupéfait. Puis, d'un ton de sérénité philosophique :

— Je vois ce que c'est, dit-il. Le sauterne était un peu fort ; ce soir, on servira du chablis[8] à monsieur.

Et, comme j'allais me fâcher, il ajouta gracieusement :

— Monsieur a été sobre, mais il a déjeuné en compagnie d'un fou, et c'est cela qui a porté à la tête de monsieur.

— En compagnie d'un fou ? Oui, certes, répondis-je ; comment appelez-vous ce gnome ?

— Monsieur l'appelle par son vrai nom, car c'est ainsi qu'on le désigne dans le pays. Le gnome, c'est-à-dire le poulpiquet[9] des huîtres. Ce n'est pas un méchant homme, mais c'est un maniaque qui, en fait d'huîtres, ne se soucie que de l'écaille. On le tient pour sorcier : moi, je le crois bête ! Monsieur a eu à se plaindre de ses manières ?

Je ne voulus pas raconter à ce garçon d'hôtel ma ridicule aventure, et je m'éloignai, résolu à faire une bonne promenade sur le rivage, afin de regagner l'appétit nécessaire pour le dîner.

Mais je n'allai pas loin. Un invincible besoin de dormir s'empara de moi, et je dus m'étendre sur le sable en un coin abrité. Quand j'ouvris les yeux, la nuit était venue et la mer montait. Il n'était que temps d'aller dîner et je marchai avec peine sur les mille débris que rapporte sur la grève la marée qui lèche les rivages, vieux souliers, vieux chapeaux, varechs gluants, débris d'embarcation couverts d'anatifes gâtés et infects, chapelets de petites moules, cadavres de méduses sur lesquels le pied glisse à chaque pas. Je me hâtais, saisi d'un dégoût que la mer ne m'avait jamais inspiré, lorsque je vis errer autour de moi dans l'ombre une forme vague qui, d'après son exiguïté, ne pouvait être que celle du gnome. J'avais l'esprit frappé. Je ramassai un pieu apporté par les eaux, et me mis à sa poursuite. Je le vis ramper dans la vase et chercher à me saisir les jambes. Un coup vigoureusement appliqué sur l'échine lui fit jeter un cri étrange, et il devint si petit, si petit, que je le vis entrer dans une énorme coquille qui bâillait à mes pieds. Je voulus m'en emparer : horreur ! mes mains ne saisirent qu'une peau velue, tandis qu'une langue froide se promenait sur mon visage. J'allais lancer le monstre à la mer, lorsque je reconnus mon bon chien Tom, que j'avais enfermé dans ma chambre, à l'hôtel, et qui avait réussi à s'échapper pour venir à ma rencontre.

Je rentrai alors tout à fait en moi-même et je m'en allai dîner à l'hôtel, où l'on me servit d'excellentes huîtres à discrétion. J'avoue que je les mangeai sans appétit. J'avais la tête troublée, et m'imaginais voir le gnome s'échapper de chaque coquille et gambader sur la table en se moquant de moi.

Le lendemain, comme je m'apprêtais à déjeuner, je vis tout à coup le gnome en personne s'asseoir à mes côtés.

— Je vous demande pardon, me dit-il, de vous avoir ennuyé beaucoup hier avec mes fossiles. J'avais encore à vous en montrer quelques-uns des terrains crétacés, entre autres l'*ostrea spinosa*, qui est fort curieuse. L'étage de la craie blanche est fort riche en espèces différentes. Après cela, nous serions arrivés aux terrains tertiaires, où nous aurions trouvé la *bellovacina* et la *longirostris*, qui se rapprochent beaucoup des huîtres contemporaines l'*œdulis* et la perlière.

— Est-ce fini ? m'écriai-je, et puis-je espérer qu'aujourd'hui, du moins, vous me laisserez manger en paix l'*œdulis cancalis*, sans m'assassiner avec vos fossiles indigestes ?

— Vous avez tort, reprit-il, de mépriser l'étude géologique de l'huître. Elle caractérise admirablement les étages géologiques; elle est, comme l'a dit un savant, la médaille commémorative des âges qui n'ont point d'histoire : elle marque, par ses transformations successives, le lent et continuel changement des milieux auxquels sa forme a su se plier. Les unes sont taillées pour la flottaison comme *arcuata* et *carinata*. D'autres ont vécu attachées aux roches, comme *gregaria* et *deltoïdea*. En général, l'huître, par sa tendance à l'agglomération, peut servir de modèle aux sociétés humaines.

— Exemple trop suivi, monsieur ! repris-je avec humeur. Je vous conseille, en vérité, de prêcher l'union des partis, à l'état de bancs d'huîtres !

— Ne parlons pas politique, monsieur, dit le gnome en souriant. La science ne s'égare pas sur ce terrain-là. C'est l'étage supérieur des terrains modernes, qu'on pourrait appeler le *conservator-bank*[10].

— Si l'on peut rire avec vous, à la bonne heure ! repris-je. Vous me paraissez mieux disposé qu'hier.

— Hier ! Aurais-je manqué à la politesse et à l'hospitalité ? J'en serais désolé ! Vous m'aviez fait boire beaucoup de sauterne et je suis habitué au cidre. Je me rappelle un peu confusément…

— Vous ne vous souvenez pas d'avoir voulu m'assassiner ?

— Moi ? Dieu m'en garde ! Comment un pauvre petit vieux contrefait comme je le suis, eût-il pu songer à se mesurer avec un gaillard de votre apparence ?

— Vous vous êtes pourtant jeté sur moi et vous m'avez même terrassé un instant !

— Terrassé, moi ! Ne serait-ce pas plutôt… ? il était fort, le sauterne ! Vous vouliez tout casser chez moi ! Mais, puisque nous ne nous souvenons pas bien ni l'un ni l'autre, achevons d'oublier nos discordes en déjeunant ensemble de bonne amitié. Je suis venu ici pour vous prier d'accepter le repas que vous m'avez forcé d'accepter hier.

Je vis alors que le gnome était un aimable homme, car il me fit servir un vrai festin où je m'observai sagement à l'endroit des vins et où il ne fut plus question d'huîtres que pour les déguster. Je repartais à midi, il m'accompagna jusqu'au chemin de fer en me laissant sa carte : il s'appelait tout bonnement M. Gaume[11].

La Fée
aux gros yeux

Elsie avait une gouvernante irlandaise fort singulière. C'était la meilleure personne qui fût au monde, mais quelques animaux lui étaient antipathiques à ce point qu'elle entrait dans de véritables fureurs contre eux. Si une chauve-souris pénétrait le soir dans l'appartement, elle faisait des cris ridicules et s'indignait contre les personnes qui ne couraient pas sus à la pauvre bête. Comme beaucoup de gens éprouvent de la répugnance pour les chauves-souris, on n'eût pas fait grande attention à la sienne, si elle ne se fût étendue à de charmants oiseaux, les fauvettes, les rouges-gorges, les hirondelles et autres insectivores, sans en excepter les rossignols, qu'elle traitait de cruelles bêtes. Elle s'appelait miss Barbara ***, mais on lui avait donné le surnom de *fée aux gros yeux*; *fée*, parce qu'elle était très savante et très mystérieuse; *aux gros yeux*, parce qu'elle avait d'énormes yeux clairs saillants et bombés, que la malicieuse Elsie comparait à des bouchons de carafe.

Elsie ne détestait pourtant pas sa gouvernante, qui était pour elle l'indulgence et la patience mêmes : seulement, elle s'amusait de ses bizarreries et surtout de sa prétention à voir mieux que les autres, bien qu'elle eût pu gagner le grand prix de myopie au concours de la conscription[1]. Elle ne se doutait pas de la présence des objets, à moins qu'elle ne les touchât avec son nez, qui par malheur était des plus courts.

Un jour qu'elle avait donné du front dans une porte à demi ouverte, la mère d'Elsie lui avait dit :

— Vraiment, à quelque jour, vous vous ferez grand mal ! Je vous assure, ma chère Barbara, que vous devriez porter des lunettes.

Barbara lui avait répondu avec vivacité :

— Des lunettes, moi ? Jamais ! je craindrais de me gâter la vue !

Et, comme on essayait de lui faire comprendre que sa vue ne pouvait pas devenir plus mauvaise, elle avait répliqué, sur un ton de conviction triomphante, qu'elle ne changerait avec qui que ce soit *les trésors de sa vision*. Elle voyait les plus petits objets comme les autres avec les loupes les plus fortes ; ses yeux étaient deux lentilles de microscope qui lui révélaient à chaque instant des merveilles inappréciables aux autres. Le fait est qu'elle comptait les fils de la plus fine batiste et les mailles des tissus les plus déliés, là où Elsie, qui avait ce qu'on appelle de bons yeux, ne voyait absolument rien.

Longtemps on l'avait surnommée *miss Frog* (grenouille), et puis on l'appela *miss Maybug* (hanneton), parce qu'elle se cognait partout ; enfin, le nom de fée aux gros yeux prévalut, parce qu'elle était trop instruite et trop intelligente pour être comparée à une bête, et aussi parce que tout le monde, en voyant les découpures et les broderies merveilleuses qu'elle savait faire, disait :

— C'est une véritable fée !

Barbara ne semblait pas indifférente à ce compliment, et elle avait coutume de répondre :

— Qui sait ? Peut-être ! peut-être !

Un jour, Elsie lui demanda si elle disait sérieusement une pareille chose, et miss Barbara répéta d'un air malin :

— Peut-être, ma chère enfant, peut-être !

Il n'en fallut pas davantage pour exciter la curiosité d'Elsie ; elle ne croyait plus aux fées, car elle était déjà grande-lette, elle avait bien douze ans. Mais elle regrettait fort de n'y plus croire, et il n'eût pas fallu la prier beaucoup pour qu'elle y crût encore.

Le fait est que miss Barbara avait d'étranges habitudes. Elle ne mangeait presque rien et ne dormait presque pas. On n'était même pas bien certain qu'elle dormît, car on n'avait jamais vu son lit défait. Elle disait qu'elle le refaisait elle-même chaque jour, de grand matin, en s'éveillant, parce qu'elle ne pouvait dormir que dans un lit dressé à sa guise. Le soir, aussitôt qu'Elsie quittait le salon en compagnie de sa bonne qui couchait auprès d'elle, miss Barbara se retirait avec empressement dans le pavillon qu'elle avait choisi et demandé pour logement, et on assurait qu'on y voyait de la lumière jusqu'au jour. On prétendait même que, la nuit, elle se promenait avec une petite lanterne en parlant tout haut avec des êtres invisibles.

La bonne d'Elsie en disait tant, qu'un beau soir, Elsie éprouva un irrésistible désir de savoir ce qui se passait chez sa gouvernante et de surprendre les mystères du pavillon.

Mais comment oser aller la nuit dans un pareil endroit ? Il fallait faire au moins deux cents pas à travers un massif de lilas que couvrait un grand cèdre, suivre sous ce double ombrage une allée étroite, sinueuse et toute noire !

— Jamais, pensa Elsie, je n'aurai ce courage-là.

Les sots propos des bonnes l'avaient rendue peureuse. Aussi ne s'y hasarda-t-elle pas. Mais elle se risqua pourtant le lendemain à questionner Barbara sur l'emploi de ses longues veillées.

— Je m'occupe, répondit tranquillement la fée aux gros yeux. Ma journée entière vous est consacrée; le soir m'appartient. Je l'emploie à travailler pour mon compte.

— Vous ne savez donc pas tout, que vous étudiez toujours ?

— Plus on étudie, mieux on voit qu'on ne sait rien encore.

— Mais qu'est-ce que vous étudiez donc tant ? Le latin ? le grec ?

— Je sais le grec et le latin. C'est autre chose qui m'occupe.

— Quoi donc ? Vous ne voulez pas le dire ?

— Je regarde ce que moi seule je peux voir.

— Vous voyez quoi ?

— Permettez-moi de ne pas vous le dire; vous voudriez le voir aussi, et vous ne pourriez pas ou vous le verriez mal, ce qui serait un chagrin pour vous.

— C'est donc bien beau, ce que vous voyez ?

— Plus beau que tout ce que vous avez vu et verrez jamais de beau dans vos rêves.

— Ma chère miss Barbara, faites-le-moi voir, je vous en supplie !

— Non, mon enfant, jamais ! Cela ne dépend pas de moi.

— Eh bien, je le verrai ! s'écria Elsie dépitée. J'irai la nuit chez vous, et vous ne me mettrez pas dehors.

— Je ne crains pas votre visite. Vous n'oseriez jamais venir !

— Il faut donc du courage pour assister à vos sabbats ?

— Il faut de la patience et vous en manquez absolument.

Elsie prit de l'humeur et parla d'autre chose. Puis elle revint à la charge et tourmenta si bien la fée, que celle-ci promit de la conduire le soir à son pavillon, mais en l'avertissant qu'elle ne verrait rien ou ne comprendrait rien à ce qu'elle verrait.

Voir ! voir quelque chose de nouveau, d'inconnu, quelle soif, quelle émotion pour une petite fille curieuse ! Elsie n'eut pas d'appétit à dîner, elle bondissait involontairement sur sa chaise, elle comptait les heures, les minutes. Enfin, après les occupations de la soirée, elle obtint de sa mère la permission de se rendre au pavillon avec sa gouvernante.

A peine étaient-elles dans le jardin qu'elles firent une rencontre dont miss Barbara parut fort émue. C'était pourtant un homme d'apparence très inoffensive que M. Bat, le précepteur des frères d'Elsie. Il n'était pas beau : maigre, très brun, les oreilles et le nez pointus, et toujours vêtu de noir de la tête aux pieds, avec des habits à longues basques, très pointues aussi. Il était timide, craintif même; hors de ses leçons, il disparaissait comme s'il eût éprouvé le besoin de se cacher. Il ne parlait jamais à table, et le soir, en attendant l'heure de présider au coucher de ses élèves, il se promenait en rond sur la terrasse du jardin, ce qui ne faisait de mal à personne, mais paraissait être l'indice d'une tête sans réflexion livrée à une oisiveté stupide.

Miss Barbara n'en jugeait pas ainsi. Elle avait M. Bat en horreur, d'abord à cause de son nom qui signifie chauve-souris en anglais. Elle prétendait que, quand on a le malheur de porter un pareil nom, il faut s'expatrier afin de pouvoir s'en attribuer un autre en pays étranger. Et puis elle avait toute sorte de préventions contre lui, elle lui en voulait d'être de bon appétit, elle le croyait vorace et cruel. Elle assurait que ses bizarres promenades en rond dénotaient les plus funestes inclinations et cachaient les plus sinistres desseins.

Aussi, lorsqu'elle le vit sur la terrasse, elle frissonna. Elsie sentit trembler son bras auquel le sien s'était accroché. Qu'y avait-il de surprenant à ce que M. Bat, qui aimait le grand air, fût dehors jusqu'au moment de la retraite de ses élèves, qui se couchaient plus tard qu'Elsie, la plus jeune des trois ? Miss Barbara n'en fut pas moins scandalisée, et, en passant près de lui, elle ne put se retenir de lui dire d'un ton sec :

— Est-ce que vous comptez rester là toute la nuit ?

M. Bat fit un mouvement pour s'enfuir ; mais, craignant d'être impoli, il s'efforça pour répondre et répondit sous forme de question :

— Est-ce que ma présence gêne quelqu'un, et désire-t-on que je rentre ?

— Je n'ai pas d'ordres à vous donner, reprit Barbara avec aigreur, mais il m'est permis de croire que vous seriez mieux au parloir[2] avec la famille.

— Je suis mal au parloir, répondit modestement le précepteur, mes pauvres yeux y souffrent cruellement de la chaleur et de la vive clarté des lampes.

— Ah ! vos yeux craignent la lumière ? J'en étais sûre ! Il vous faut tout au plus le crépuscule ? Vous voudriez pouvoir voler en rond toute la nuit ?

— Naturellement ! répondit le précepteur en s'efforçant de rire pour paraître aimable : ne suis-je pas une *bat* ?

— Il n'y a pas de quoi se vanter ! s'écria Barbara en frémissant de colère.

Et elle entraîna Elsie interdite, dans l'ombre épaisse de la petite allée.

— Ses yeux, ses pauvres yeux ! répétait Barbara en haussant convulsivement les épaules ; attends que je te plaigne, animal féroce !

— Vous êtes bien dure pour ce pauvre homme, dit Elsie. Il a vraiment la vue sensible au point de ne plus voir du tout aux lumières.

— Sans doute, sans doute ! Mais comme il prend sa revanche dans l'obscurité ! C'est un nyctalope et, qui plus est, un presbyte.

Elsie ne comprit pas ces épithètes, qu'elle crut déshonorantes et dont elle n'osa pas demander l'explication. Elle était encore dans l'ombre de l'allée qui ne lui plaisait nullement et voyait enfin s'ouvrir devant elle le sombre berceau au fond duquel apparaissait le pavillon blanchi par un clair regard de la lune à son lever, lorsqu'elle recula en forçant miss Barbara à reculer aussi.

— Qu'y a-t-il ? dit la dame aux gros yeux, qui ne voyait rien du tout.

— Il y a... il n'y a rien, répondit Elsie embarrassée. Je voyais un homme noir devant nous, et, à présent, je distingue M. Bat qui passe devant la porte du pavillon. C'est lui qui se promène dans votre parterre.

— Ah ! s'écria miss Barbara indignée, je devais m'y attendre. Il me poursuit, il m'épie, il prétend dévaster mon ciel ! Mais ne craignez rien, chère Elsie, je vais le traiter comme il le mérite.

Elle s'élança en avant.

— Ah çà ! monsieur, dit-elle en s'adressant à un gros arbre sur lequel la lune projetait l'ombre des objets, quand cessera la persécution dont vous m'obsédez ?

Elle allait faire un beau discours, lorsque Elsie l'interrompit en l'entraînant vers la porte du pavillon et en lui disant :

— Chère miss Barbara, vous vous trompez, vous croyez parler à M. Bat et vous parlez à votre ombre. M. Bat est déjà loin, je ne le vois plus et je ne pense pas qu'il ait eu l'idée de nous suivre.

— Je pense le contraire, moi, répondit la gouvernante. Comment vous expliquez-vous qu'il soit arrivé ici avant nous, puisque nous l'avions laissé derrière et ne l'avons ni vu ni entendu passer à nos côtés ?

— Il aura marché à travers les plates-bandes, reprit Elsie ; c'est le plus court chemin et c'est celui que je prends souvent quand le jardinier ne me regarde pas.

— Non, non ! dit miss Barbara avec angoisse, il a pris par-dessus les arbres. Tenez, vous qui voyez loin, regardez au-dessus de votre tête ! Je parie qu'il rôde devant mes fenêtres !

Elsie regarda et ne vit rien que le ciel, mais, au bout d'un instant, elle vit l'ombre mouvante d'une énorme chauve-souris passer et repasser sur les murs du pavillon. Elle n'en voulut rien dire à miss Barbara, dont les manies l'impatientaient en retardant la satisfaction de sa curiosité. Elle la pressa d'entrer chez elle en lui disant qu'il n'y avait ni chauve-souris ni précepteur pour les épier.

— D'ailleurs, ajouta-t-elle, en entrant dans le petit parloir du rez-de-chaussée, si vous êtes inquiète, nous pourrons fort bien fermer la fenêtre et les rideaux.

— Voilà qui est impossible ! répondit Barbara. Je donne un bal et c'est par la fenêtre que mes invités doivent se présenter chez moi.

— Un bal ! s'écria Elsie stupéfaite, un bal dans ce petit appartement ? des invités qui doivent entrer par la fenêtre ? Vous vous moquez de moi, miss Barbara.

— Je dis un bal, un grand bal, répondit Barbara en allumant une lampe qu'elle posa sur le bord de la fenêtre; des toilettes magnifiques, un luxe inouï !

— Si cela est, dit Elsie ébranlée par l'assurance de sa gouvernante, je ne puis rester ici dans le pauvre costume où je suis. Vous eussiez dû m'avertir, j'aurais mis ma robe rose et mon collier de perles.

— Oh ! ma chère, répondit Barbara en plaçant une corbeille de fleurs à côté de la lampe, vous auriez beau vous couvrir d'or et de pierreries, vous ne feriez pas le moindre effet à côté de mes invités.

Elsie un peu mortifiée garda le silence et attendit. Miss Barbara mit de l'eau et du miel dans une soucoupe en disant :

— Je prépare les rafraîchissements.

Puis, tout à coup, elle s'écria :

— En voici un ! c'est la princesse *nepticula marginicollella* avec sa tunique de velours noir traversée d'une large bande d'or. Sa robe est en dentelle noire avec une longue frange. Présentons-lui une feuille d'orme, c'est le palais de ses ancêtres où elle a vu le jour. Attendez ! Donnez-moi cette feuille de pommier pour sa cousine germaine, la belle *malella*, dont la robe noire a des lames d'argent et dont la juge frangée est d'un blanc nacré. Donnez-moi du genêt en fleurs, pour réjouir les yeux de ma chère *cemiostoma spartifoliella*, qui approche avec sa toilette blanche à ornements noir et or. Voici des roses pour vous, marquise *nepticula centifoliella*. Regardez, chère Elsie ! admirez cette tunique grenat bordée d'argent. Et ces deux illustres lavernides : *lineella*, qui porte sur sa robe une écharpe orange brodée d'or, tandis que *schranckella* a l'écharpe orange lamée d'argent. Quel goût, quelle harmonie dans ces couleurs voyantes adoucies par le velouté des étoffes, la transparence des franges soyeuses et l'heureuse répartition des quantités ! L'adélide *panzerella* est toute en drap d'or brodé de noir, sa jupe est lilas à frange d'or. Enfin, la pyrale *rosella*, que voici et qui est une des plus simples, a la robe de dessus d'un rose vif teintée de blanc sur les bords. Quel heureux effet produit sa robe de dessous d'un brun clair ! Elle n'a qu'un défaut, c'est d'être un peu grande; mais voici venir une troupe de véritables mignonnes exquises. Ce sont des tinéides[3] vêtues de brun et semées de diamants, d'autres blanches avec des perles sur de la gaze. *Dispunctella* a dix gouttes d'or sur sa robe d'argent. Voici de très grands personnages d'une taille relativement imposante : c'est la famille des adélides avec leurs antennes vingt fois plus longues que leur corps, et leur vêtement d'or vert à reflets rouges ou violets qui rappellent la parure des plus beaux colibris. Et, à présent, voyez ! voyez la foule qui se presse ! il en viendra encore, et toujours ! et vous, vous ne saurez laquelle de ces reines du soir admirer le plus pour la splendeur de son costume et le goût exquis de sa toilette. Les moindres détails du corsage, des antennes et des pattes sont d'une délicatesse inouïe et je ne pense pas que vous ayez jamais vu nulle part de créatures aussi parfaites. A présent, remarquez la grâce de leurs mouvements, la folle et charmante précipitation de leur vol, la souplesse de leurs antennes qui est un langage, la gentillesse de leurs attitudes. N'est-ce pas, Elsie, que c'est là une fête inénarrable, et que toutes les autres créatures sont laides, monstrueuses et méchantes en comparaison de celles-ci ?

— Je dirai tout ce que vous voudrez pour vous faire plaisir, répondit Elsie désappointée, mais la vérité est que je ne vois rien ou presque rien de ce que vous me décrivez avec tant d'enthousiasme. J'aperçois bien autour de ces fleurs et de cette lampe, des vols de petits papillons microscopiques, mais je distingue à peine des points brillants et des points noirs, et je crains que vous ne puisiez dans votre imagination les splendeurs dont il vous plaît de les revêtir.

— Elle ne voit pas ! elle ne distingue pas ! s'écria douloureusement la fée aux gros yeux. Pauvre petite ! j'en étais sûre ! Je vous l'avais bien dit, que votre infirmité vous priverait des joies que je savoure ! Heureusement, j'ai su compatir à la débilité de vos organes; voici un instrument dont je ne me sers jamais, moi, et que j'ai emprunté pour vous à vos parents. Prenez et regardez.

Elle offrait à Elsie une forte loupe, dont, faute d'habitude, Elsie eut quelque peine à se servir. Enfin, elle réussit, après une certaine fatigue, à distinguer la réelle et surprenante beauté d'un de ces petits êtres; elle en fixa un autre et vit que miss Barbara ne l'avait pas trompée : l'or, la pourpre, l'améthyste, le grenat, l'orange, les perles et les roses se condensaient en ornements symétriques sur les manteaux et les robes de ces imperceptibles personnages. Elsie demandait naïvement pourquoi tant de richesse et de beauté étaient prodiguées à des êtres qui vivent tout au plus quelques jours et qui volent la nuit, à peine saisissables au regard de l'homme.

— Ah ! voilà ! répondit en riant la fée aux gros yeux. Toujours la même question ! Ma pauvre Elsie, les grandes personnes la font aussi, c'est-à-dire qu'elle n'ont, pas plus que les enfants, l'idée saine des lois de l'univers. Elle croient que tout a été créé pour l'homme et que ce qu'il ne voit pas ou ne comprend pas, ne devrait pas exister. Mais moi, la fée aux gros yeux, comme on m'appelle, je sais que ce qui est simplement beau est aussi important que ce que l'homme utilise, et je me réjouis quand je contemple des choses ou des êtres merveilleux dont personne ne songe à tirer parti. Mes chers petits papillons sont répandus par milliers de milliards sur la terre, ils vivent modestement en famille sur une petite feuille, et personne n'a encore eu l'idée de les tourmenter.

— Fort bien, dit Elsie, mais les oiseaux, les fauvettes, les rossignols s'en nourrissent, sans compter les chauves-souris !

— Les chauves-souris ! Ah ! vous m'y faites songer ! La lumière qui attire mes pauvres petits amis et qui me permet de les contempler, attire aussi ces horribles bêtes qui rôdent des nuits entières, la gueule ouverte, avalant tout ce qu'elles rencontrent. Allons, le bal est fini, éteignons cette lampe. Je vais

187

allumer ma lanterne, car la lune est couchée, et je vais vous reconduire au château.

Comme elles descendaient les marches du petit perron du pavillon :

— Je vous l'avais bien dit, Elsie, ajouta miss Barbara, vous avez été déçue dans votre attente, vous n'avez vu qu'imparfaitement mes petites fées de la nuit et leur danse fantastique autour de mes fleurs. Avec une loupe, on ne voit qu'un objet à la fois, et, quand cet objet est un être vivant, on ne le voit qu'au repos. Moi, je vois tout mon cher petit monde à la fois, je ne perds rien de ses allures et de ses fantaisies. Je vous en ai montré fort peu aujourd'hui. La soirée était trop fraîche et le vent ne donnait pas du bon côté. C'est dans les nuits d'orage que j'en vois des milliers se réfugier chez moi, ou que je les surprends dans leurs abris de feuillage et de fleurs. Je vous en ai nommé quelques-uns, mais il y en a une multitude d'autres qui, selon la saison, éclosent à une courte existence d'ivresse, de parure et de fêtes. On ne les connaît pas tous, bien que certaines personnes savantes et patientes les étudient avec soin et que l'on ait publié de gros livres où ils sont admirablement représentés avec un fort grossissement pour les yeux faibles[4]; mais ces livres ne suffisent pas, et chaque personne bien douée et bien intentionnée peut grossir le catalogue acquis à la science par des découvertes et des observations nouvelles. Pour ma part, j'en ai trouvé un grand nombre qui n'ont encore ni leurs noms ni leurs portraits publiés, et je m'ingénie à réparer à leur profit l'ingratitude ou le dédain de la science. Il est vrai qu'ils sont si petits, si petits, que peu de personnes daigneront les observer.

— Est-ce qu'il y en a de plus petits que ceux que vous m'avez montrés ? dit Elsie, qui voyant miss Barbara arrêtée sur le perron, s'était appuyée sur la rampe.

Elsie avait veillé plus tard que de coutume, elle n'avait pas eu toute la surprise et tout le plaisir qu'elle se promettait et le sommeil commençait à la gagner.

— Il y a des êtres infiniment petits, dont on ne devrait pas parler sans respect, répliqua miss Barbara, qui ne faisait pas attention à la fatigue de son élève. Il y en a qui échappent au regard de l'homme et aux plus forts grossissements des instruments. Du moins je le présume et je le crois, moi qui en vois plus que la plupart des gens n'en peuvent voir. Qui peut dire à quelles dimensions, apparentes pour nous, s'arrête la vie universelle ? Qui nous prouve que les puces n'ont pas des puces, lesquelles nourrissent à leur tour des puces qui en nourrissent d'autres, et ainsi jusqu'à l'infini ? Quant aux papillons, puisque les plus petits que nous puissions apercevoir sont incontestablement plus beaux que les gros, il n'y a pas de raison pour qu'il n'en existe pas une foule d'autres encore plus beaux et plus petits dont les savants ne soupçonneront jamais l'existence.

Miss Barbara en était là de sa démonstration, sans se douter qu'Elsie, qui s'était laissée glisser sur les marches du perron, dormait de tout son cœur, lorsqu'un choc inattendu enleva brusquement la petite lanterne des mains de la gouvernante et fit tomber cet objet sur les genoux d'Elsie réveillée en sursaut.

— Une chauve-souris ! une chauve-souris ! s'écria Barbara éperdue en cherchant à ramasser la lanterne éteinte et brisée.

Elsie s'était vivement levée sans savoir où elle était.

— Là ! là ! criait Barbara, sur votre jupe, l'horrible bête est tombée aussi, je l'ai vue tomber, elle est sur vous !

Elsie n'avait pas peur des chauves-souris, mais elle savait que, si un choc léger les étourdit, elles ont de bonnes petites dents pour mordre, quand on veut les prendre, et, avisant un point noir sur sa robe, elle le saisit dans son mouchoir en disant :

— Je la tiens, tranquillisez-vous, miss Barbara, je la tiens bien !

— Tuez-la, étouffez-la, Elsie ! Serrez bien fort, étouffez ce mauvais génie, cet affreux précepteur qui me persécute !

Elsie ne comprenait plus rien à la folie de sa gouvernante ; elle n'aimait pas à tuer et trouvait les chauves-souris fort utiles, vu qu'elles détruisent une multitude de cousins et d'insectes nuisibles. Elle secoua son mouchoir instinctivement pour faire échapper le pauvre animal ; mais quelle fut sa surprise, quelle fut sa frayeur en voyant M. Bat s'échapper du mouchoir et s'élancer sur miss Barbara, comme s'il eût voulu la dévorer !

Elsie s'enfuit à travers les plates-bandes, en proie à une terreur invincible. Mais, au bout de quelques instants, elle fut prise de remords, se retourna et revint sur ses pas pour porter secours à son infortunée gouvernante. Miss Barbara avait disparu et la chauve-souris volait en rond autour du pavillon.

— Mon Dieu ! s'écria Elsie désespérée, cette bête cruelle a avalé ma pauvre fée ! Ah ! si j'avais su, je ne lui aurais pas sauvé la vie !

La chauve-souris disparut et M. Bat se trouva devant Elsie.

— Ma chère enfant, lui dit-il, c'est bien et c'est raisonnable de sauver la vie à de pauvres persécutés. Ne vous repentez pas d'une bonne action, miss Barbara n'a eu aucun mal. En l'entendant crier, j'étais accouru, vous croyant l'une et l'autre menacées de quelque danger sérieux. Votre gouvernante s'est réfugiée et barricadée chez elle en m'accablant d'injures que je ne mérite pas. Puisqu'elle vous abandonne à ce qu'elle regarde comme un grand péril, voulez-vous me permettre de vous reconduire à votre bonne, et n'aurez-vous point peur de moi ?

— Vraiment, je n'ai jamais eu peur de vous, monsieur Bat, répondit Elsie, vous n'êtes point méchant, mais vous êtes fort singulier.

— Singulier, moi ? Qui peut vous faire penser que j'aie une singularité quelconque ?

— Mais... je vous ai tenu dans mon mouchoir tout à l'heure, monsieur Bat, et permettez-moi de vous dire que vous vous exposiez beaucoup, car, si j'avais écouté miss Barbara, c'était fait de vous !

— Chère miss Elsie, répondit le précepteur en riant, je comprends maintenant ce qui s'est passé et je vous bénis de m'avoir soustrait à la haine de cette pauvre fée, qui n'est pas méchante non plus, mais qui est bien plus singulière que moi !

Quand Elsie eut bien dormi, elle trouva fort invraisemblable que M. Bat eût le pouvoir de devenir homme ou bête à volonté. A déjeuner, elle remarqua qu'il avalait avec délices des tranches de bœuf saignant, tandis que miss Barbara ne prenait que du thé. Elle en conclut que le précepteur n'était pas homme à se régaler de *micros*[5], et que la gouvernante suivait un régime propre à entretenir ses vapeurs.

Notes

Le Chêne parlant

[1] Sœur d'Henri Amic, jeune administrateur de G. Sand ; elle avait onze ans.

[2] Ce nom est-il inventé par George Sand ? En tout cas, il ne se trouve pas dans le Dictionnaire des communes, ni dans les lieux-dits de l'Indre.

[3] Jeunes bergers (mot ancien, du latin *pastor*, utilisé en Berry).

[4] Dans son autobiographie, George Sand évoque son amitié d'enfance à Nohant avec un gardeur de cochons nommé Plaisir : « J'ai toujours eu peur et horreur des cochons, et pourtant, peut-être précisément à cause de cela, Plaisir, par la grande autorité qu'il exerçait sur ces méchants et stupides animaux, m'inspirait une sorte de respect et de crainte. On sait que c'est une dangereuse compagnie qu'un troupeau de porcs. Ces animaux ont entre eux un étrange instinct de solidarité. Si l'on offense un individu isolé, il jette un certain cri d'alarme qui réunit instantanément tous les autres. Ils forment alors un bataillon qui se resserre sur l'ennemi commun et le force à chercher son salut sur un arbre... » (*Histoire de ma vie*, III\e partie, chapitre VIII). Sur la phobie sandienne à l'égard des cochons, cf. *Un Hiver à Majorque*.

[5] Ce nom, peut-être imaginaire, évoque une commune de l'Indre : Orsennes.

[6] Sorte de grande boîte ou cabane, divisée en compartiments, dont chacun reçoit une poule ou poulet qu'on veut engraisser.

[7] Gros vin de couleur violette.

[8] Nom dont nous n'avons pu trouver trace dans la réalité.

[9] Assemblage de branches entrelacées.

[10] Profondément.

[11] On désignait ainsi un quartier de Paris où se réunissaient gueux et mendiants, parce que ceux qui simulaient toutes sortes d'infirmités pour solliciter la charité redevenaient là sains et dispos.

[12] Bâtarde, enfant trouvée (abandonnée dans les champs) ; mot d'origine poitevine. Cf. le célèbre roman de George Sand, *François le Champi* (1849).

Le Chien et la fleur sacrée

[1] Le manuscrit porte : A Aurore Sand — En effet, l'Agenda du 17 août 1875 est formel : le conte est une « commande » de Lolo. On peut imaginer que c'est par la suite, après avoir écrit *La fleur sacrée*, que G. Sand a décidé d'intervertir les dédicaces : ce dernier texte, plus riche et plus difficile d'accès, lui a sans doute plus paru plus adapté à l'esprit de l'aînée (Aurore avait 9 ans 1/2, Gabrielle un peu plus de 7 ans).

[2] Le manuscrit donne : Simon — Il y avait à Nohant un Sylvain (Brunet), cocher et homme de confiance.

[3] Nom vulgaire des libellules.

[4] C'était le nom du chien d'Aurore à Nohant. On songe évidemment à *La petite Fadette*.

[5] L'épisode est tout à fait réel : en 1870, une épidémie de variole obligea la famille à se réfugier chez les amis Maulmond dans la Creuse.

[6] Au sens large : temples (d'après le Parthénon, temple d'Athéna à Athènes).

[7] D'abord statue de Pallas, qui passait pour le gage du salut de Troie ; puis, au sens large : garantie, sauvegarde.

[8] Aujourd'hui en Malaisie, la « Chersonèse d'or » des anciens forme une péninsule qui s'étend au sud du Siam (aujourd'hui Thaïlande), entre le golfe du Bengale à l'ouest, le golfe de Siam et la mer de Chine à l'est, sur 1.200 km de long et 200 km de large en moyenne.

[9] C'est entre le IVe et le VIIe siècle de notre ère que le bouddhisme s'est répandu dans l'Asie du Sud-Est. C'est au XVIe siècle (1511) que les Portugais s'emparèrent de Malacca.

[10] L'Ophir : 1.276 m ; le Puy de Dôme : 1.465 m.

[11] Autre nom du palétuvier. Mais le manuscrit porte *manguiers* sans hésitation possible.

[12] Nom indien des cornacs (conducteurs d'éléphants).

[13] Pagan, en Birmanie, à 160 km au sud-ouest d'Ava, sur la rive gauche de l'Irrawaddy. C'est en 1054 que le roi Anawratha devint souverain de Pagan, dont il fit le centre d'un empire s'étendant de Mandalay au nord jusqu'aux rizières fertiles des deltas de l'Irrawaddy et de la rivière Rangoon.

[14] Ville côtière de Birmanie, qui a donné son nom à un enfoncement de la partie orientale du golfe du Bengale.

[15] L'Irrawaddy, surnommé « fleuve éléphant », est l'un des cours d'eau les plus importants de l'Asie orientale. Il descend du Yunnan et se jette dans le golfe de Martaban. Large parfois de 6 km, long de 2.250 km, il est navigable sur près de 1.700 km et traverse la Birmanie dans toute sa longueur.

[16] C'est à Pagan que prit naissance une architecture bouddhique proprement birmane. En chantier pendant deux siècles et demi, elle posséda jusqu'à près de 5.000 édifices sacrés, couvrant une aire de 300 kilomètres carrés ; aujourd'hui 1.000 temples sont encore intacts.

[17] Nom de famille du Bouddha (Çâkya-Mouni).

[18] Se vouer.

[19] C'est-à-dire que l'éléphant a environ trente ans.

[20] Nom donné à divers bois très durs.

[21] Les éléphants vivent en moyenne de 70 à 80 ans.

[22] Sur l'Irrawaddy, capitale de l'empire birman de 1364 jusqu'au milieu du XVIIIe siècle.

[23] Ou *Umerapoura*, « ville des immortels », sur la rive gauche de l'Irrawaddy à

25 km au nord-est d'Ava, fut bâtie en 1783 et servit de capitale à l'empire birman jusqu'en 1824.

[24] L'étude du manuscrit montre que le conte s'arrêtait d'abord là ; George Sand avait en effet signé ici. Puis elle biffa sa signature et ajouta la conclusion actuelle.

[25] C'est plutôt avec la panthère que Bacchus était associé ; elle traînait son char lors de sa triomphale tournée jusqu'en Inde.

L'Orgue du Titan

[1] Il n'existe pas de commune du nom de Chanturgue. Le Puy de Chanturgue, avec son vignoble, se trouve immédiatement à la sortie nord de Clermont, en direction de Riom.

[2] A une dizaine de kilomètres au nord du Mont-Dore. La roche Tuilière (ainsi nommée parce qu'on en extrayait des « lauzes » pour couvrir les toits), sur laquelle apparaissent des colonnes prismatiques de trachyte disposées en gerbe, est la cheminée d'un volcan ruiné. La roche Sanadoire est un reste du cône ; elle porta jusqu'au XVe siècle un château quasi imprenable. Le large vallon qui les sépare fut creusé par un ancien glacier. L'une et l'autre sont phonolithiques, c'est-à-dire se délitent en dalles sonores à la percussion, et culminent à près de 1.300 mètres.

[3] G. Sand semble se souvenir ici de *Ce que dit le ruisseau*, écrit en 1863.

[4] Dans la Haute-Loire, à deux kilomètres du Puy. Il s'agit de gigantesques prismes basaltiques, rappelant les grottes de Fingal en Ecosse et la Chaussée des Géants en Irlande.

[5] Coiffure disposée de manière à figurer une aile de chaque côté de la tête.

[6] Cheveux de derrière, attachés avec un cordon.

[7] Morceau de musique destiné à accompagner le début de la messe.

[8] Lac de cratère, à 15 kilomètres au nord-est du Mont-Dore.

[9] Reprendre tes esprits.

[10] Statue colossale, dans l'église Saint-Pierre-aux-Liens, à Rome.

Ce que disent les fleurs

[1] G. Sand fait allusion à son précepteur Deschartres (cf. *Histoire de ma vie*, IIIe partie, chapitre VI). C'est Jules Néraud, le « Malgache », qui lui fera plus tard prendre goût à la botanique.

[2] Tout ce catalogue est parfaitement pertinent et exact. Linné n'avait admis que quatorze espèces primitives, mais Candolle en 1825 en porta le nombre à cent quarante-six...

Le Marteau rouge

[1] Souterrains (Pluton était Dieu des Enfers).

[2] Ce nom désigne un genre de plantes aquatiques européennes. Il est aussi celui d'une grenouille dans le poème grec de la *Batrachomyomachie*.

[3] Très âgé (style « indien » !)

[4] Amateur de choses anciennes.

La Fée Poussière

[1] Ile de Grèce, dans l'archipel des Cyclades, célèbre par ses marbres blancs, employés par les sculpteurs antiques.

[2] Dans la mythologie ancienne, c'est la partie des Enfers réservée au châtiment des méchants. Les trois fleuves sont le Styx, le Phlégéton et le Cocyte.

[3] Action de sasser (passer au sas, au tamis, au crible : de la farine, du plâtre...).

[4] Terme géologique désignant le changement de forme dans les terrains, produit par l'action du feu.

[5] On attendrait plutôt *satisfaite*, puisqu'il est clair dès le début du conte que G. Sand met en scène une petite fille.

Le Gnome des huîtres

[1] Cancale (Ille-et-Vilaine) est sur la Manche, Ostende en Belgique, Marennes (Charente-Maritime) sur la côte atlantique.

[2] Il s'agit très vraisemblablement de Plauchut (cf. notre Présentation).

[3] Le « marchand de sable » qui apporte le sommeil aux enfants.

[4] Plauchut avait accompagné G. Sand et ses petites-filles à Cabourg en 1872 (cf. *Les Ailes de courage*, dans la première série des *Contes*).

[5] Vin blanc du Bordelais.

[6] C'est une espèce fréquente dans les argiles de Dives, sur la côte du Calvados, là même où G. Sand a situé *Les Ailes de courage (Contes d'une grand-mère,* première série).

[7] Nom que les Allemands donnaient aux Français. Puis, ce nom étranger ayant été pris pour une injure, il signifie : homme ignorant.

[8] Vin blanc de l'Yonne.

[9] Ce nom semble désigner un personnage légendaire, une espèce de Korrigan.

[10] Jeu de mots sur « bancs » d'huîtres et les « bancs » des partis politiques au Parlement.

[11] Il y a évidemment un jeu de mots sur gnome/Gaume. Mais ce nom n'est pas d'invention pure : M. Lubin nous signale que Maurice Sand avait rencontré à Alger en 1861 un certain Albert Gaume, dont il a laissé un croquis ; d'autre part, les frères Gaume avaient une maison d'édition : c'est eux qui publièrent, par exemple, le *Parfum de Rome* de Louis Veuillot, que G. Sand lut en 1862.

La Fée aux gros yeux

[1] Examen médical lors de l'enrôlement dans l'armée.

[2] Anglicisme : salon (de *parlour*).

[3] L'édition originale imprime *tinéines*, coquille pour *tinéides*, désignant une tribu d'insectes lépidoptères nocturnes, les plus petits connus de cet ordre, ayant pour type le genre teigne.

[4] Allusion transparente à Maurice, le fils de G. Sand, passionné d'histoire naturelle et particulièrement d'insectes. Il avait publié en 1867 *Le Monde des papillons, promenade à travers champs*.

[5] D'insectes microscopiques.

Variantes

Le Chien et la fleur sacrée

Page 67
a [Monsieur Le Chien *rayé*]
b [Un de nos amis, qui passait à juste titre pour un homme instruit et raisonnable, nous étonna beaucoup, un jour que son chien avait fait *rayé*] Nous avions

Page 69
a [La nature (a dit Pascal) passe et revient, puis va plus loin. (mots illisibles). C'est le *deux fois moins* et le *plus que jamais* de Pascal *rayé*] Tout être
b [domestiqués *rayé*] l'éprouvent
c [mon pain *rayé*] mon fauteuil

Page 70
a [rapides *rayé*] Il y avait...
b [jaune *rayé par* rouge *rayé*] délicatement
c [balsamine sauvage *rayé*] pendant

Page 71
a [c'est-à-dire la vie organique *rayé*] l'homme
b [Le désagrément que j'en conçus *rayé*] mainte

Page 73
a [je ne me roulai jamais sur des matières putréfiées *rayé*] Si,

Page 74
a [les parents et les domestiques *rayé*] étaient

Page 75
a [La nuit quand ils avaient oublié de me faire entrer *rayé*] quand
b [extraordinaires *rayé*] bien que

Page 76
a [on me le faisait flairer et embrasser *rayé*] on apaisait

Page 77
a [deviné *rayé*] que je méritais

Page 79
a [A Gabrielle Sand *rayé*]
b [dont on prend les éléphants dans le royaume *rayé par* province de Laos *rayé*] M. Lechien
c [l'Anglais *rayé*] Je ne me
d [de m'attaquer à une âme *rayé*] en voie

Page 80
a [et préétablis *rayé*] Au-delà
b [L'auteur de ces lois *rayé*] échappe
c [simple *rayé*] En dehors
d [dans les fonctions *rayé*] de l'univers
e [pythagoricien ? *rayé*]
f [j'ai préféré les chiens et les chevaux *rayé*] Quand

Page 81
a [le cheval, le cerf, le taureau *rayé*] nous aimons
b [dans le style grec *rayé*] sont encore
c [imposant *rayé*] que présente
d [L'esprit esthétique *rayé*] éprouve
e [que l'homme supporte si mal *rayé*] Là où
f [la pauvre *rayé*] principal
g [nos arts mesquins et nos types froids *rayé*] Et puis tout
h [les missionnaires anciens *rayé*] adoré

Page 82
a [que j'étais lui *rayé*] qu'une série
b [l'inconvénient, l'injustice providentielle ? *rayé*] L'homme
c [et si peu exploré par les indiens eux-mêmes *rayé*] que se reportent

Page 83
a [de la solitude *rayé*] nous remplissait
b [pour partager nos récoltes. D'autres oiseaux au plumage étincelant étaient nos amis et nos compagnons. Ils vivaient pour ainsi dire sur nous, incessamment occupés de notre toilette *rayé*] Le noctariam

Page 84
a [Notre blancheur immaculée leur imposait-elle le respect ? Je ne puis vous dire : le fait est qu'on ne nous disputait *rayé*] aucune place
b [et sage *rayé*] semblait
c [et des palmiers *rayé*] ces grandes
d [verdoyantes *rayé*] de cinq

Page 85
a [soyeuse *rayé*] comme
b [Le torrent ne coulait plus *rayé*] La source
c [de ma trompe *rayé*] en gémissant
d [et de me défendre encore *rayé*] Elle
e [quatre cordes. Je me couchai *rayé*] Je ne voulais

Page 86
a [le gazon *rayé*] en pente
b [de jours et de nuits *rayé par* heures *rayé*] je restai
c [du riz *rayé par* des feuilles *rayé*] et de l'eau
d [pénétrants *rayé*] de ma
e [d'une braie blanche *rayé*] ou caleçon
f [jatte *rayé*] de farine
g [à du beurre (mots illisibles) *rayé*] Il me
h [de bananier *rayé*] et me

ⁱ [sur un instrument bizarre ayant la forme d'un crocodile *rayé*] je ne sais
^j [caresser *rayé*] mon front

Page 87
^a [plusieurs années avec cet homme. Il habitait une hutte pointue formée de roseaux qu'il transporta au milieu du parc de bambous où il me faisait rentrer chaque soir pour me préserver des animaux malfaisants. Nous vivions donc ensemble sans nous quitter jamais *rayé*]. Il avait
^b [J'oubliai cette mère chérie, pour m'en souvenir beaucoup d'années après, comme je serai amené à vous le dire *rayé*] Je pouvais
^c [au premier chef *rayé*] Mon existence

Page 89
^a [le sultan *rayé*] des Birmans

Page 90
^a [Woon, c'est-à-dire au ministre *rayé*] ministre

Page 91
^a [épaisse *rayé*] végétation
^b [des fruits et des fleurs *rayé*] Des bandes
^c [faisait gémir l'air *rayé*] de ses
^d [un cercle *rayé*] de cymbales

Page 92
^a [Enfin nous arrivâmes en face de Pagham, qui était alors la capitale de l'empire Birman, et je fus ébloui du spectacle qui s'offrit à mes regards *rayé*] Un jour qu'il
^b [un certain staccato *rayé*] au milieu
^c [qu'il avait par hasard *rayé*] Ils manifestèrent

Page 93
^a [de trente kilomètres *rayé*] le long

Page 94
^a [sage *rayé*] et si
^b [plus d'une heure *rayé*] le sol

Page 95
^a [laque du Japon *rayé*] couverte
^b [une figure colossale en bronze doré représentait Gauthama, le bond-dha sacré. Du piédestal *rayé*] un vase

Page 97
^a [terrible *rayé*] contre
^b [de surprise et de terreur *rayé*] je fondis

Page 98
^a [j'eus un nouveau chagrin d'esprit *rayé*] celui
^b [je gagnai avec lui les premiers déserts de la base des monts Himalayas *rayé*] A cette

Page 99
^a [poussière *rayé*] noire

L'Orgue du Titan

Page 107
^a [Encore lui, le Titan ! *rayé*]
Page 108
^a [tous les caprices et *rayé*] toutes les
^b [Je ne vous ferai pas l'analyse détaillée de son caractère et du contrecoup

que j'en recevais. L'aventure où je vais tout de suite vous faire entrer vous éclairera suffisamment *rayé*] Ce délaissement

c [d'il y a cinquante ans *rayé*] il y avait

d [maître de chapelle *rayé*] organiste

e [du facteur *rayé*] Un jour

f [qui était dans un de ses jours de bonne humeur *rayé*] me dit

g [sous vos yeux *rayé*] manger

Page 109

a [amolli *rayé*] de ma

Page 110

a [une pente rapide *rayé*] au flanc

Page 111

a [rayées *rayé*] de prairies

b [Les gorges sinueuses et profondes brusquement fermées à la vue par les coudes de leurs détours *rayé*] tout cela

Page 112

a [tout plats qu'on dirait *rayé*] comme s'il

Page 113

a [Craintifs *rayé*] sur toute

Page 114

a [du nord *rayé*] Le chemin

b [pataches *rayé*] étroits

c [embaumée *rayé*] n'avaient

d [Le soir, je rentrai pour souper *rayé*] Le curé

e [Le surlendemain *rayé*] je pêchai

f [Enfin le troisième jour *rayé*] à écouter

g [Enfin le troisième jour *rayé*] Je la fis

Page 115

a [s'est levée à 8 heures et elle commence à bien éclairer *rayé*] Voyons

b [me reprochai *rayé*] de n'être

Page 117

a [qu'il nous conduisit pour le mieux *rayé*] Là où

b [le sentier d'en bas où les chèvres seules peuvent passer *rayé*] — Descendez

c [dans le torrent qui coulait sous nos pieds *rayé*] Heureusement

d [régularisé *rayé*] convulsive

Page 118

a [mais il lui manquait des ailes *rayé*] Je le vis

b [*Sonadora rayé*] je te

Page 119

a [il nous verrait *rayé*] et taisons-nous

Page 120

a [*allegro vivace rayé*] — Et toi

Page 121

a [de la corde *rayé*] m'arrêta

b [et troubles *rayé*] je me

c [depuis une heure ? *rayé*] dit

Page 122

a [les tuyaux de l'orgue *rayé*] s'est

b [de mon frère le curé sur les orgues de sa vigne ? *rayé*] La mémoire

c [cheminer et de *rayé*] chevaucher

Page 123

a [le professeur *rayé*] ne pouvait

^b [je dois l'avouer *rayé*] de son propre
^c [magistralement *rayé*] des chefs-d'œuvre
^d [l'evêque *rayé*] qui était
^e [à la porte *rayé*] derrière

Page 124
^a [Monseigneur *rayé*] en voyant
^b [à des enfants *rayé*] et de

Page 125
^a [et un empêchement *rayé*] Parfois
^b [si quelque bruit inattendu se produit, je m'imagine *rayé*] j'imagine
^c [lui dit quelqu'un *rayé*] au maestro

Ce que disent les fleurs

Page 127
^a [A ma petite fille Aurore *rayé en sous-titre*]

Page 129
^a [répondre *rayé*] il jurait

Page 130
^a [belles *rayé*] notre
^b [de se dire le plus noble des végétaux *rayé*] A quoi
^c [pue *rayé*] et que
^d [preuve de discrétion *rayé*] Les odeurs

Page 131
^a [et je m'en allai vers la prairie *rayé*] — Voyons

Page 132
^a [une rose *rayé*] il lui

Page 134
^a [nouvelles *rayé*] où

Page 135
^a [réveillée *rayé*] et se
^b [au lieu de l'emporter *rayé*] j'évitais
^c [flétrie *rayé*] qui disparut

Page 136
^a [des monstres aveugles et sourds *rayé*] par
^b [et des fleurs *rayé*] des animaux

Table des matières

Les Editions de l'Aurore
(Directrice : Lydie BRAILLON)
(Directeur littéraire : Jean COURRIER)

COLLECTION SPORT

Christian VELLA

JEUX DE LARMES

Préface d'Antoine BLONDIN

Journaliste au service des sports de TF1, Christian VELLA nous présente ici, dans douze récits, le côté cœur des acteurs du monde sportif. Jeux et spectacles, mais aussi drames et larmes. Ceux de Grégoire, le coureur cycliste de *La Dernière Boucle,* de Lulu le gardien de but de hand-ball, *Le Crucifié de Saint-Maur,* du petit narrateur de *L'Apprenti champion* ou le regard tendre et lucide de *La Femme de Jean Courteville.* Un beau recueil, contradictoire et vrai comme la vie.

Edition brochée / Prix 1982 : 48 F T.T.C. / Toute librairie

COLLECTION HISTOIRE

Gilbert DALET

L'ETRANGE FIGURE DU BARON DES ADRETS

Récit historique

Une plume dauphinoise, alerte et drue, pour un récit vivant et documenté qui captivera tout lecteur avide d'émotions historiques et humaines, dans le climat violent et passionné des guerres de religion. Une fascinante aventure de condottière, tour à tour catholique et huguenot, qu'Agrippa d'Aubigné mit en scène dans ses *Tragiques.*

Edition brochée / 200 pages / Prix 1982 : 42 F T.T.C. / Toute librairie

Collection
les Œuvres de George Sand

Déjà parus :

Contes d'une grand'mère (1ʳᵉ série). Présentation de Philippe BER-
THIER. Dessins de Roland FIGUIÈRE.

Horace. Présentation de Nicole COURRIER et Thierry BODIN.
Gravures, estampes, dessins d'époque.

Le Péché de Monsieur Antoine. Présentation de Jean COURRIER et
Jean-Hervé DONNARD. Clichés de Robert THUILLIER.

Contes d'une grand'mère (2ᵉ série). Présentation de Philippe BER-
THIER. Dessins de Christiane SMEET-SAND et Roland
FIGUIÈRE.

A paraître :

Tamaris (Georges LUBIN).

Consuelo et *La Comtesse de Rudolstad* (René BOURGEOIS et
Simone VIERNE).

Le Château des désertes (Joseph-Marc BAILBÉ).

Un Hiver à Majorque (Jean MALLION et Pierre SALOMON).

Promenades autour d'un village (Thierry BODIN).

Mademoiselle La Quintinie (René BOURGEOIS et Thierry BODIN).

L'Homme de neige (Jean-Hervé DONNARD).

Il a été tiré de cette édition cent exemplaires reliés pleine peau cuir, numérotés de 1 à 100, et neuf cents exemplaires reliés pleine toile, numérotés de 101 à
1.000. Le premier tirage de l'édition cartonnée est de 3.000 exemplaires.

Chacun des ouvrages de la collection "Les Œuvres de George Sand" com-
portera une édition pleine peau et une édition pleine toile. Si vous désirez être
tenu informé de la sortie de ces ouvrages en souscription, "Les Editions de
l'Aurore" 4, boulevard des Alpes, B.P. 19, 38240 Meylan, se feront un plaisir de vous adresser sur simple demande les dépliants d'information.

Achevé d'imprimer
le 28 février 1983
sur les presses
de l'Imprimerie du Néron
Photocomposition/Photogravure
Compo G
38130 Echirolles

Dépôt légal : février 1983